Ryszard Kapuściński

Szachinszach

Ryszard Kapuściński

Szachinszach

Czytelnik · Warszawa

2006

Opracowanie graficzne
Andrzej Heidrich

ISBN 83-07-03039-0

Karty, twarze, pola kwiatów

Drogi Boże
ja to chciałbym żeby nie było złych rzeczy
Debbie

("Listy dzieci do Pana Boga", Wyd. Pax, 1978)

Wszystko jest w stanie takiego bałaganu, jakby przed chwilą policja zakończyła gwałtowną i nerwową rewizję. Wszędzie leżą rozrzucone gazety, sterty gazet miejscowych i zagranicznych, dodatki nadzwyczajne, rzucające się w oczy wielkie tytuły

ODLECIAŁ

i duże fotografie szczupłej pociągłej twarzy, na której widać skupiony wysiłek, aby nie okazać ni nerwów, ni klęski, twarzy o rysach tak uporządkowanych, że właściwie nie wyraża już nic. A obok egzemplarze innych dodatków nadzwyczajnych, z późniejszą datą, które oznajmiają z gorączką i triumfem, że

WRÓCIŁ

i poniżej, wypełniające całą stronicę, zdjęcie patriarchalnej twarzy, surowej i zamkniętej, bez żadnej chęci wypowiedzenia czegokolwiek.

(A pomiędzy tym odlotem i powrotem jakie emocje, jakież wysokie temperatury, ile gniewu i grozy, ile pożarów!)

Na każdym kroku — na podłodze, na krzesłach, na stoliku, na biurku — rozsypane kartki, świstki, notatki zapisane w pośpiechu i tak bezładnie, że sam muszę teraz zastanawiać się, skąd wynotowałem zdanie — będzie was zwodził i obiecywał, ale nie dajcie się oszukać — (kto to powiedział? Kiedy i do kogo?)

Albo czerwonym ołówkiem na całej kartce: Koniecznie zadzwonić 64-12-18 (a tyle już czasu minęło, że nie mogę przypomnieć sobie, czyj to telefon i dlaczego był wtedy tak ważny).

7

Listy nie dokończone i nie wysłane. Stary! Długo by mówić o tym, co tu widziałem i przeżyłem. Trudno mi jednak uporządkować wrażenie, które

Największy nieporządek panuje na dużym, okrągłym stole: fotografie różnych formatów, kasety magnetofonowe, taśmy amatorskie 8 mm, biuletyny, fotokopie ulotek — wszystko spiętrzone, pomieszane jak na pchlim targu, bez ładu i składu. A jeszcze plakaty i albumy, płyty i książki zbierane, podarowane przez ludzi, cała dokumentacja czasu, który dopiero co minął, ale który można jeszcze usłyszeć i zobaczyć, bo został tu utrwalony — na filmie: płynące, wzburzone rzeki ludzi, kasety: szloch muezinów, krzyki komend, rozmowy, monologi, na zdjęciach: twarze w stanie uniesienia, w ekstazie.

Teraz na myśl, że powinienem zabrać się do robienia porządków (bo zbliża się dzień mojego wyjazdu), ogarnia mnie niechęć i bezgraniczne zmęczenie. Szczerze mówiąc, ilekroć mieszkam w hotelu — co zdarza mi się często — lubię, żeby w pokoju panował bałagan, ponieważ stwarza on wrażenie jakiegoś życia, jest namiastką intymności i ciepła, jest dowodem (co prawda złudnym, ale jednak), że tak obce i nieprzytulne miejsce, jakim jest z natury każdy pokój w hotelu, zostało choćby częściowo pokonane i oswojone. W pokoju pedantycznie wysprzątanym czuję się drętwo i samotnie, uwierają mnie wszystkie linie proste, kanty mebli, płaszczyzny ścian, razi cała ta obojętna i sztywna geometria, całe to mozolne i skrupulatne uszykowanie, które istnieje jakby samo dla siebie, bez śladu naszej obecności. Na szczęście już po kilku godzinach pobytu, pod wpływem moich działań (zresztą nieświadomych, wynikających z pośpiechu lub lenistwa), cały zastany porządek rozsypuje się i przepada, wszystkie rzeczy nabierają życia, zaczynają przenosić się z miejsca na miejsce, wchodzić w coraz to nowe układy i związki, robi się ciasno i barokowo, a tym samym bardziej życzliwie i swojsko. Można odetchnąć i rozluźnić się wewnętrznie.

Na razie jednak nie mogę zebrać tyle sił, aby coś w tym

pokoju ruszyć, więc schodzę na dół, gdzie w pustym, ponurym hallu czterej młodzi ludzie piją herbatę i grają w karty. Oddają się jakiejś zawiłej grze, której reguł nigdy nie mogę pojąć. Nie jest to brydż ani poker, ani oczko, ani zychlik. Grają dwoma taliami jednocześnie, milczą, w pewnej chwili jeden z miną zadowoloną zabiera wszystkie karty. Po chwili losują, rozkładają na stoliku dziesiątki kart, zastanawiają się, coś obliczają, w czasie liczenia wybuchają spory.

Ci czterej ludzie (obsługa recepcji) żyją ze mnie, ja ich utrzymuję, ponieważ w tych dniach jestem jedynym mieszkańcem hotelu. Poza nimi utrzymuję też sprzątaczki, kucharzy, kelnerów, praczy, stróżów i ogrodnika, a myślę, że również parę innych osób i ich rodziny. Nie chcę powiedzieć, że gdybym zwlekał z opłatą ci ludzie pomarliby z głodu, ale na wszelki wypadek staram się w porę regulować moje rachunki. Jeszcze kilka miesięcy temu zdobycie pokoju było w tym mieście wyczynem, szczęśliwym losem wygranym na loterii. Mimo wielkiej liczby hoteli ruch był taki, że przyjezdni musieli wynajmować łóżka w prywatnych szpitalach, byle znaleźć jakieś schronienie. Ale teraz skończyły się interesy, skończyły się łatwe pieniądze i oszałamiające transakcje, miejscowi businessmeni pochowali przebiegłe głowy, a zagraniczni partnerzy wyjechali w popłochu rzucając wszystko. Nagle zamarła turystyka, ustał wszelki ruch międzynarodowy. Część hoteli została spalona, inne są zamknięte albo stoją puste, w jednym partyzanci urządzili swoją kwaterę. Miasto zajęte jest dzisiaj sobą, nie potrzebuje obcych, nie potrzebuje świata.

Karciarze przerywają grę, chcą mnie poczęstować herbatą. Tutaj piją tylko herbatę albo jogurt, nie piją kawy ani nic z alkoholu. Za picie alkoholu można dostać czterdzieści batów, nawet sześćdziesiąt, a jeżeli karę wymierza krzepki osiłek (zwykle tacy najchętniej biorą się do bata), zrobi nam na plecach niezłą jatkę. Więc siorbiemy gorącą herbatę patrząc w drugi koniec hallu, gdzie pod oknem stoi telewizor.

Na ekranie telewizora pojawia się twarz Chomeiniego.

Chomeini przemawia siedząc na prostym, drewnianym fotelu stojącym na zbitym z desek podwyższeniu, gdzieś na jednym z placów ubogiej (sądząc po niskiej jakości zabudowań) dzielnicy Qom. Qom to miasto małe, szare, płaskie, bez wdzięku, położone o sto pięćdziesiąt kilometrów na południe od Teheranu, na ziemi pustynnej, męczącej, piekielnie upalnej. Zdawałoby się, że w tym morderczym klimacie nic nie powinno sprzyjać refleksji i kontemplacji, a jednak Qom jest miastem religijnej żarliwości, zaciekłej ortodoksji, mistyki i wojującej wiary. W tej mieścinie znajduje się pięćset meczetów i największe seminaria duchowne, tu prowadzą spory znawcy Koranu i strażnicy tradycji, tu obradują sędziwi ajatollachowie, stąd Chomeini rządzi krajem. Nigdy nie opuszcza Qom, nie jeździ do stolicy, w ogóle nigdzie nie jeździ, niczego nie zwiedza, nikomu nie składa wizyt. Dawniej mieszkał tu z żoną i pięciorgiem dzieci, w małym domku przy ciasnej, zakurzonej i dusznej uliczce, środkiem nie brukowanej jezdni przepływał rynsztok. Teraz przeniósł się w pobliże, do domu swojej córki, który ma balkon wychodzący na ulicę, z tego balkonu Chomeini pokazuje się ludziom, jeżeli zbiorą się tłumnie (najczęściej są to gorliwi pielgrzymi odwiedzający meczety świętego miasta i przede wszystkim grób Nieskalanej Fatimy, siostry ósmego imama Rezy, niedostępny dla innowierców). Chomeini żyje jak asceta, żywi się ryżem, jogurtem i owocami i mieszka w jednym pokoju, o gołych ścianach, bez mebli. Jest tam tylko posłanie na podłodze i stos książek. W tym pokoju Chomeini również przyjmuje (nawet najbardziej oficjalne delegacje zagraniczne), siedząc na kocu rozłożonym na podłodze, oparty plecami o ścianę. Przez okno ma widok na kopuły meczetów i rozległy dziedziniec medresy — zamknięty świat turkusowej mozaiki, błękitnozielonych minaretów, chłodu i cienia. Potok gości i interesantów płynie przez cały dzień. Jeżeli następuje przerwa, Chomeini udaje się na modlitwę lub pozostaje u siebie, żeby poświęcić czas rozmyślaniom albo po prostu — co jest naturalne u starca osiemdziesięcioletniego — uciąć drzemkę. Człowiekiem, który ma stały dostęp do jego pokoju, jest młodszy syn — Ahmed, duchowny tak samo jak ojciec. Drugi syn, pierworodny, nadzieja życia, zginął w tajemniczych okolicznościach, mówią, że podstępnie zgładzony przez policję szacha. Kamera pokazuje plac wypełniony po brzegi, głowa przy głowie. Pokazuje twarze zaciekawione i poważne. W jednym miejscu na uboczu, oddzielone od mężczyzn wyraźnie zaznaczoną przestrzenią, stoją owinięte czadorami kobiety. Nie ma słońca, jest szaro, barwa tłumu jest ciemna, a tam gdzie stoją kobiety — czarna. Chomeini ubrany, jak zawsze, w ciemne obszerne szaty, czarny turban na głowie. Ma nieruchomą, bladą twarz i siwą brodę. Kiedy mówi, jego ręce spoczywają na oparciu fotela, nie gestykulują. Nie skłania głowy ani ciała, siedzi sztywno. Czasem tylko marszczy wysokie czoło i unosi brwi, poza tym żaden mięsień nie porusza się w tej twarzy bardzo zdecydowanej, niezłomnej twarzy człowieka wielkiego uporu, stanowczej i nieubłaganej woli, która nie zna odwrotu i nawet — być może — wahań. W tej twarzy, jakby uformowanej raz na zawsze, niezmiennej, nie poddającej się żadnym emocjom ani nastrojom, nie wyrażającej nic poza stanem napiętej uwagi i wewnętrznego skupienia, tylko oczy są ciągle ruchliwe, ich żywe, penetrujące spojrzenie przesuwa się po kędzierzawym morzu głów, mierzy głębokość placu, odległość jego brzegów i dalej prowadzi swoją drobiazgową lustrację, jakby w natarczywym poszukiwaniu kogoś konkretnego. Słyszę jego głos monotonny, o spłaszczonej, jednostajnej barwie, o równym, powolnym rytmie, mocny, ale bez wzlotów, bez temperamentu, bez blasku.

O czym on mówi? pytam karciarzy, kiedy Chomeini na chwilę przerywa i zastanawia się nad następnym zdaniem.

On mówi, że musimy zachować godność, odpowiada jeden z nich.

Operator przesuwa teraz kamerę na dachy okolicznych

domów, gdzie stoją młodzi ludzie z automatami, ich głowy są owinięte w kraciaste chustki.

A teraz co mówi? pytam znowu, bo nie rozumiem języka farsi, w którym przemawia ajatollach.

On mówi, odpowiada jeden, że w naszym kraju nie może być miejsca dla obcych wpływów.

Chomeini przemawia dalej, wszyscy słuchają tego z uwagą, widać na ekranie, jak ktoś ucisza stłoczoną wokół podwyższenia dzieciarnię.

Co mówi? pytam znowu po chwili.

Mówi, że nikt nie będzie rządzić w naszym domu ani nic nam narzucać, i mówi — bądźcie sobie braćmi, bądźcie jednością.

Tyle mogą mi powiedzieć, posługując się nieskładnym i łamanym angielskim. Wszyscy, którzy uczą się angielskiego, powinni wiedzieć, że tym językiem coraz trudniej porozumieć się na świecie. Podobnie coraz trudniej porozumieć się po francusku i w ogóle w jakiejkolwiek mowie, która pochodzi z Europy. Kiedyś Europa panowała nad światem, wysyłając na wszystkie kontynenty swoich kupców, żołnierzy, misjonarzy i urzędników, narzucając innym swoje interesy i kulturę (tę ostatnią w problematycznym wydaniu). Nawet w najbardziej odległym zakątku ziemi znajomość języka europejskiego należała wówczas do dobrego tonu, świadczyła o starannym wychowaniu, a często była życiową koniecznością, podstawą awansu i kariery czy choćby warunkiem, aby uważali nas za człowieka. Tych języków uczono w afrykańskich szkołach, przemawiano nimi w egzotycznych parlamentach, używano ich w handlu i w instytucjach, w azjatyckich sądach i w arabskich kawiarniach. Europejczyk mógł podróżować po całym świecie i czuć się jak u siebie w domu, wszędzie mógł wypowiadać swoje zdanie i rozumieć, co do niego mówią. Dzisiaj świat jest inny, na kuli ziemskiej rozkwitły setki patriotyzmów, każdy naród wolałby, by jego kraj był tylko jego własnością urządzoną wedle rodzimej tradycji. Każdy naród ma teraz

rozwinięte ambicje, każdy jest (a przynajmniej chce być) wolny i niezależny, ceni sobie własne wartości i domaga się dla nich szacunku. Można zauważyć, jak na tym punkcie wszyscy stali się czuli i wrażliwi. Nawet małe i słabe narody (one zresztą szczególnie) nie znoszą, aby je pouczać, i burzą się przeciw tym, którzy chcieliby nad nimi panować i narzucać im swoje wartości (często naprawdę wątpliwe). Ludzie mogą podziwiać czyjąś siłę, ale wolą robić to na odległość i nie chcą, żeby była na nich wypróbowana. Każda siła ma swoją dynamikę, swoją tendencję władczą i ekspansywną, swoją toporną natrętność i obsesyjną wprost potrzebę rzucania słabych na łopatki. W tym przejawia się prawo siły, wszyscy o tym wiedzą. Ale co może zrobić słabszy? Może tylko odgrodzić się. W naszym zatłoczonym i narzucającym się świecie, żeby się obronić, żeby utrzymać się na powierzchni, słabszy musi się wyodrębnić, stanąć na boku. Ludzie boją się, że zostaną wchłonięci, że zostaną odarci, że ujednolicą im krok, twarze, spojrzenia i mowę, że nauczą ich jednakowo myśleć i reagować, każą przelewać krew w obcej sprawie i wreszcie ostatecznie ich unicestwią. Stąd ich niezgoda i bunt, ich walka o istnienie własne, a więc także o własny język. W Syrii zamknęli gazetę francuską, w Wietnamie angielską, a teraz w Iranie i francuską, i angielską. W radio i telewizji używają już tylko swojego języka — farsi. Na konferencjach prasowych — tak samo. Pójdzie do aresztu ten, kto nie potrafi przeczytać w Teheranie napisu na sklepie z konfekcją damską: Do tego sklepu wstęp dla mężczyzn wzbroniony pod karą aresztu. Zginie ten, kto nie potrafi przeczytać napisu pod Isfahanem: Wstęp wzbroniony. Miny!
Kiedyś woziłem po świecie małe, kieszonkowe radio i słuchając lokalnych stacji, wszystko jedno na którym kontynencie, mogłem wiedzieć, co dzieje się na naszym globie. Teraz to radio, tak dawniej pożyteczne, nie służy mi do niczego. Kiedy przesuwam gałkę, z głośnika odzywa się dziesięć kolejnych radiostacji, mówiących w dziesięciu różnych językach, z których nie rozumiem ani słowa. Tysiąc kilo-

metrów dalej i odzywa się dziesięć nowych radiostacji, tak samo niezrozumiałych. Może mówią, że pieniądze, które mam w kieszeni, są od dzisiaj nieważne? Może mówią, że wybuchła wielka wojna? Podobnie jest z telewizją.

Na całym świecie, o każdej godzinie, na milionach ekranów widzimy nieskończoną liczbę ludzi, którzy coś do nas mówią, o czymś przekonują, robią gesty i miny, zapalają się, uśmiechają, kiwają głowami, pokazują palcem, a my nie wiemy, o co chodzi, czego od nas chcą, do czego wzywają. Jakby to byli przybysze z odległej planety, jakaś wielka armia reklamowych naganiaczy z Wenus czy z Marsa, a przecież to nasi pobratymcy, cząstka naszego rodzaju, te same kości, ta sama krew, też poruszają ustami, też słychać głos, a nie możemy zrozumieć się ani na jotę. W jakim języku będzie się toczyć uniwersalny dialog ludzkości? Kilkaset języków walczy o uznanie i awans, podnoszą się bariery językowe, wzrasta niezrozumiałość i głuchota.

Po krótkiej przerwie (w przerwie pokazują pola kwiatów, bardzo tutaj lubią kwiaty, grobowce ich największych poetów stoją w barwnych i bujnych ogrodach) widać na ekranie fotografię młodego człowieka. Rozlega się głos spikera.

Co on mówi? pytam moich karciarzy.

On mówi imię i nazwisko tego człowieka. I mówi, kim on był.

Potem fotografia następna i następna. Są tu zdjęcia z legitymacji studenckich, zdjęcia w ramkach, zdjęcia z automatów, zdjęcia na tle odległych ruin, jedno zdjęcie rodzinne ze strzałką w stronę ledwie widocznej dziewczyny, żeby zaznaczyć, o kogo chodzi. Każdą fotografię oglądamy przez kilka chwil, słychać odczytywaną przez spikera ciągnącą się listę nazwisk.

Rodzice proszą o wiadomość.

Proszą tak od kilku miesięcy mając ciągle nadzieję, której przypuszczalnie nie ma nikt poza nimi. Zaginął we wrześniu, w grudniu, w styczniu, a więc w miesiącach najcięższych walk, kiedy nad miastami stały wysokie i nie gasnące łuny. Widocznie szli w pierwszych szeregach manifestacji, prosto w ogień karabinów maszynowych. Albo z okolicznych dachów wypatrzyli ich strzelcy wyborowi. Możemy się domyślać, że każda z tych twarzy była widziana ostatni raz okiem jakiegoś żołnierza, który naprowadził na nią swój celownik.

Film przesuwa się dalej, to codzienny długi program, w czasie którego dobiega nas rzeczowy głos spikera i spotykamy się z coraz to nowymi i nowymi ludźmi, których już nie ma. Znowu pola kwiatów i za chwilę następna pozycja wieczornego programu. Znowu fotografie, ale tym razem zupełnie innych ludzi. Są to najczęściej starsi panowie o zaniedbanym wyglądzie, ubrani byle jak (zmięte kołnierzyki, zmięte drelichowe kurtki), spojrzenia desperackie, twarze zapadnięte, nie ogolone, niektórym wyrosły już brody. Każdy ma duży kawałek tektury z wypisanym imieniem i nazwiskiem, zawieszony na szyi. Kiedy pojawia się teraz kolejna twarz, któryś z karciarzy mówi — aha, to ten! i wszyscy wpatrują się uważnie w ekran. Spiker odczytuje dane personalne i mówi o każdym, jakich dokonał przestępstw. Generał Mohammed Zand wydał rozkaz strzelania do bezbronnej manifestacji w Tebrizie, setki zabitych. Major Hossein Farzin torturował więźniów przypalając im powieki i wyrywając paznokcie. Przed kilku godzinami — informuje spiker — pluton egzekucyjny milicji islamskiej wykonał na nich wyrok trybunału.

Jest ciężko i duszno w hallu w czasie tej parady dobrych i złych nieobecnych, tym bardziej że toczące się od dawna koło śmierci kręci się dalej wyrzucając setki następnych fotografii (już blaknących i zupełnie świeżych, tych szkolnych i tych z więzienia), ta sunąca i coraz to przystająca procesja nieruchomych, milczących twarzy zaczyna w końcu tak przygnębiać, ale i tak wciągać, iż przez moment wydaje mi się, że za chwilę zobaczę na ekranie zdjęcia siedzących obok sąsiadów, a potem moje własne, i usłyszę spikera czytającego nasze nazwiska.

Wracam na piętro, przechodzę przez pusty korytarz i zamykam się w swoim zagraconym pokoju. Gdzieś z głębi niewidocznego miasta, jak zwykle o tej porze, dochodzą odgłosy strzelaniny. Prowadzą ogień regularnie, każdej nocy, zaczynają mniej więcej o dziewiątej, jakby to było ustalone dawnym obyczajem albo umową. Potem miasto milknie, a potem znowu słychać strzały, a nawet głuche eksplozje. Nikt się tym nie przejmuje, nikt już nie zwraca uwagi ani nie odbiera tego jako zagrożenia (nikt poza tymi, których dosięgają kule). Od połowy lutego, kiedy w mieście wybuchło powstanie i tłum rozebrał magazyny wojskowe, Teheran jest uzbrojony, naelektryzowany, pod osłoną nocy na ulicach i w domach rozgrywa się skrytobójczy dramat, przyczajone za dnia podziemie podnosi głowy, zamaskowane bojówki wyruszają na miasto.

Te niespokojne noce skazują ludzi na więzienny przymus pozostawania w domach zamkniętych na cztery spusty. Niby nie ma godziny policyjnej, ale poruszanie się po ulicach od północy do świtu jest uciążliwe i ryzykowne. O tej porze przyczajone i znieruchomiałe miasto znajduje się w rękach milicji islamskiej lub niezależnych bojówek. W obu wypadkach są to grupy dobrze uzbrojonych chłopców, którzy ciągle mierzą do nas z pistoletów, wypytują o wszystko, naradzają się między sobą i czasem, na wszelki wypadek, prowadzą zatrzymanych do aresztu, skąd trudno się potem wydostać. W dodatku nigdy nie mamy pewności, kim są ci, którzy pakują nas do więzienia, gdyż napotkana przemoc nie ma żadnych znaków rozpoznawczych, nie ma mundurów ani czapek, opasek ani znaczków, są to po prostu uzbrojeni cywile, których władzę musimy uznać bezkrytycznie i bez pytania, jeżeli zależy nam na życiu. Po kilku dniach zaczynamy jednak orientować się i klasyfikować. Ten oto elegancki pan w wizytowym garniturze, w białej koszuli i starannie dobranym krawacie, ten to wytworny pan idący ulicą z karabinem na ramieniu jest z pewnością milicjantem w jednym z ministerstw lub urzędów centralnych. Natomiast chłopiec z maską na twarzy (wełniana pończocha naciągnięta na głowę, otwory wycięte na oczy i usta) jest miejscowym fedainem, którego nie wolno nam znać ani z widzenia, ani z nazwiska. Nie mamy pewności, kim są ludzie w zielonych, amerykańskich kurtkach, którzy pędzą samochodem, lufy automatów wystawione przez okno. Może to milicjanci, a może jedna z opozycyjnych bojówek (fanatycy religijni, anarchiści, niedobitki Savaku), którzy gnają z samobójczą determinacją, aby dokonać aktu sabotażu lub zemsty.

Jednakże w sumie jest nam obojętne, kto na nas urządzi zasadzkę i w czyją pułapkę (urzędową lub nielegalną) wpadniemy. Nikogo nie bawią takie rozróżnienia, ludzie wolą unikać niespodzianek i barykadują się na noc w swoich domach. Mój hotel jest także zamknięty (o tej godzinie odgłosy strzałów mieszają się w całym mieście ze zgrzytem opuszczanych żaluzji i hałasem zatrzaskiwanych furtek i drzwi). Nikt nie przyjdzie, nic się nie zdarzy. Nie mam do kogo się odezwać, siedzę sam w pustym pokoju, przeglądam leżące na stole fotografie i zapiski, słucham nagranych na taśmy rozmów.

Dagerotypy

Drogi Boże
czy Ty zawsze wkładasz prawidłowe dusze
do prawidłowych ludzi?
I nigdy się nie mylisz, co?

Cindy

(„Listy dzieci do Pana Boga", Wyd. Pax, 1978)

Fotografia (1)

Jest to najstarsze zdjęcie, jakie udało mi się zdobyć. Widać na nim żołnierza, który w prawej ręce trzyma łańcuch, do łańcucha przywiązany jest człowiek. Żołnierz i człowiek na łańcuchu patrzą w obiektyw ze skupieniem, widać, że jest to dla nich ważna chwila. Żołnierz jest starszym mężczyzną niskiego wzrostu, jest typem prostego i posłusznego chłopa, ma na sobie przyduży, niezgrabnie uszyty mundur, spodnie marszczą mu się w harmonijkę, wielka, krzywo założona czapa opiera się na odstających uszach, w ogóle wygląda zabawnie, przypomina Szwejka. Człowiek na łańcuchu (twarz szczupła, blada, oczy zapadnięte) ma głowę owiniętą bandażem, widocznie jest ranny. Podpis pod zdjęciem mówi, że ten żołnierz jest dziadkiem szacha Mohammeta Rezy Pahlavi (ostatniego władcy Iranu), a ten ranny jest zabójcą szacha Naser-ed-Dina. Fotografia musi więc pochodzić z roku 1896, kiedy to Naser-ed-Din, po czterdziestu dziewięciu latach panowania, został zabity przez widocznego na zdjęciu mordercę. Dziadek i morderca wyglądają na zmęczonych i jest to zrozumiałe: od kilku dni wędrują z Qom do miejsca publicznej kaźni — do Teheranu. Wloką się ospale pustynną drogą, w potępieńczym skwarze, w duchocie rozpalonego powietrza, żołnierz z tyłu, a przed nim wychudły zabójca prowadzony na łańcuchu, tak jak to dawniej różni cyrkowcy prowadzali na łańcuchu ćwiczonego niedźwiedzia dając w napotkanych miasteczkach uciesze widowiska, z których utrzymywali i siebie, i zwierzę. Teraz dziadek i morderca idą utrudzeni, coraz to ocierając pot z czoła, czasem zabójca skarży się na ból zranionej głowy, ale naj-

21

częściej obaj milczą, bo w końcu nie ma o czym mówić — morderca zabił, a dziadek prowadzi go na śmierć. W tych latach Persja jest krajem przygnębiającej biedy, nie ma kolei, pojazdy konne ma tylko arystokracja, więc ci dwaj ludzie z fotografii muszą wędrować piechotą do odległego celu wyznaczonego wyrokiem i rozkazem. Czasem natrafią na kilka glinianych chat, wynędzniali i obdarci chłopi siedzą oparci o ściany, bezczynni, nieruchomi. Teraz jednak, na widok nadchodzącego drogą więźnia i konwojenta, pojawia się w ich oczach błysk zainteresowania, wstają z ziemi i gromadzą się wokół pokrytych kurzem przybyszów. A kogo to prowadzicie, panie? pytają nieśmiało żołnierza. Kogo? powtarza pytanie żołnierz i milczy przez chwilę, żeby wywołać większy efekt i napięcie. Ten, mówi wreszcie pokazując więźnia, to morderca szacha! W głosie dziadka brzmi nieukrywana nuta dumy. Chłopi patrzą na zabójcę z mieszaniną zgrozy i podziwu. Przez to, że zabił tak wielkiego pana, człowiek na łańcuchu też wydaje im się w jakiś sposób wielki, przez tę zbrodnię jakby awansowany do wyższego świata. Nie wiedzą, czy pałać z oburzenia, czy paść przed nim na kolana. Tymczasem żołnierz przywiązuje łańcuch do wkopanego przy drodze palika, zdejmuje z ramienia karabin (który jest tak długi, że sięga mu prawie do ziemi) i wydaje chłopom rozkazy: mają przynieść wody i jedzenia. Chłopi drapią się w głowy, ponieważ we wsi nie ma nic do jedzenia, panuje głód. Dodajmy, że żołnierz jest też chłopem, podobnie jak oni, i tak samo jak oni nie ma nawet własnego nazwiska, jako nazwiska używa nazwy swojej wsi — Savad-Kuhi, ale ma mundur i karabin i został wyróżniony tym, że prowadzi do miejsca kaźni mordercę szacha, więc korzystając z tak wysokiej pozycji, jeszcze raz nakazuje chłopom przynieść wody i jedzenia, ponieważ sam odczuwa skręcający mu kiszki głód, a poza tym nie wolno mu dopuścić, aby człowiek na łańcuchu umarł w drodze z pragnienia i wyczerpania, gdyż w Teheranie trzeba by odwołać tak niecodzienne widowisko, jakim jest wieszanie na zatłoczonym placu mordercy samego szacha. Wystraszeni chłopi, popędzani z całą bezwzględnością przez żołnierza, przynoszą w końcu to, co mają, czym żywią się sami: są to wygrzebane z ziemi zwiędłe korzonki i płachta wysuszonej szarańczy. Dziadek i morderca zasiadają w cieniu do jedzenia, chrupią z apetytem szarańczę, spluwają na boki skrzydełkami, popijają wodą, a chłopi przyglądają im się w milczeniu i z zazdrością. Kiedy zbliża się wieczór, żołnierz wybiera najlepszą chatę, wyrzuca z niej właścicieli i zamienia ją w chwilowy areszt. Okręca się tym samym łańcuchem, do którego przywiązany jest zbrodniarz (żeby ten mu nie uciekł), obaj kładą się na glinianej, czarnej od karaluchów podłodze i znużeni wielogodzinną wędrówką w skwarze rozpalonego dnia, zapadają w głęboki sen. Rano wstają i wyruszają w dalszą drogę do celu wyznaczonego wyrokiem i rozkazem, a więc na północ, do Teheranu, przez tę samą pustynię, w tym samym rozedrganym upale, idąc w ustalonym dotychczas porządku — na przodzie morderca z obandażowaną głową, za nim dyndająca kita żelaznego łańcucha podtrzymywana ręką żołnierza-konwojenta, a wreszcie i on sam, w tak niezgrabnie uszytym mundurze, tak zabawnie wyglądający w swojej wielkiej i krzywo założonej czapie wspartej na odstających uszach, że kiedy po raz pierwszy zobaczyłem go na fotografii, od razu pomyślałem, że jest zupełnie podobny do Szwejka.

Fotografia (2)

Na tym zdjęciu widzimy młodego oficera Brygady Perskich Kozaków, który stoi przy cekaemie i objaśnia kolegom zasady działania tej śmiercionośnej broni. Ponieważ oglądany na zdjęciu cekaem jest unowocześnionym modelem Maxima z roku 1910, fotografia musi również pochodzić z tego okresu. Młody oficer (rocznik 1878) nazywa się Reza Khan i jest synem żołnierza-konwojenta, którego spotkaliśmy kilkanaście lat wcześniej na pustyni, kiedy prowadził na łańcuchu mordercę szacha. Porównując oba zdjęcia natychmiast zwrócimy uwagę na fakt, że w przeciwieństwie do ojca, Reza Khan jest fizycznym olbrzymem. Jest wyższy od kolegów co najmniej o głowę, ma potężną klatkę piersiową i wygląda na siłacza, który bez trudu łamie podkowy. Mina marsowa, spojrzenie zimne i penetrujące, szerokie, masywne szczęki, usta zaciśnięte, nie ma mowy o najlżejszym nawet uśmiechu. Na głowie ma kozacką papachę z czarnych karakułów, gdyż, jak wspomniałem, jest oficerem Brygady Perskich Kozaków (jedynej armii, jaką posiada wówczas szach), którą dowodzi carski pułkownik z St Petersburga Wsiewołod Liachow. Reza Khan jest pupilkiem pułkownika Liachowa, który lubi urodzonych żołnierzy, a nasz młody oficer jest typem urodzonego żołnierza. Wstąpił do brygady jako czternastoletni chłopiec, analfabeta (zresztą do końca życia nie umie dobrze czytać ani pisać), i dzięki swojemu posłuszeństwu, dyscyplinie, zdecydowaniu i wrodzonej inteligencji, a także dzięki temu, co wojskowi nazywają talentem dowódczym, stopniowo wspina się po szczeblach zawodowej kariery. Wielkie awanse zaczynają jednak sypać się dopiero po roku 1917, kiedy to szach posądzając Liachowa (zupełnie niesłusznie) o sympatie dla bolszewików, zwalnia go ze służby i odprawia do Rosji. Teraz Reza Khan zostaje pułkownikiem i dowódcą kozackiej brygady, którą od tej chwili opiekują się Anglicy. Brytyjski generał, sir Edmund Ironside, na jednym z przyjęć mówi stając na palcach, żeby sięgnąć do ucha Rezy Khana — pułkowniku, jest pan człowiekiem wielkich możliwości! Wychodzą do ogrodu, gdzie w czasie spaceru generał podsuwa mu pomysł zrobienia zamachu stanu i przekazuje mu błogosławieństwo Londynu. W lutym 1921 Reza Khan wkracza na czele swojej brygady do Teheranu, aresztuje stołecznych polityków (jest zima, pada śnieg, politycy

24

skarżą się na chłód i wilgoć cel więziennych), następnie powołuje nowy rząd, w którym zostaje ministrem wojny, a potem premierem. W grudniu 1925 posłuszne Zgromadzenie Konstytucyjne (które boi się pułkownika i stojących za nim Anglików) ogłasza kozackiego dowódcę szachem Persji. Odtąd nasz młody oficer, którego oglądamy na fotografii, kiedy objaśnia kolegom (a wszyscy na tym zdjęciu ubrani są w rubaszki i papachy) zasady działania cekaemu Maxim, udoskonalony model 1910, będzie nazywać się Szachem Rezą Wielkim, Królem Królów, Cieniem Wszechmogącego, Namiestnikiem Boga i Centrum Wszechświata, a także założycielem dynastii Pahlavi, zaczynającej się od niego i zgodnie z wyrokami losu kończącej się na synu, który w równie chłodny, zimowy poranek jak ten, kiedy jego ojciec zdobywał stolicę i tron, tyle że w pięćdziesiąt osiem lat później, opuści pałac i Teheran odlatując nowoczesnym odrzutowcem ku niezbadanym przeznaczeniom.

Fotografia (3)

Wiele zrozumie ten, kto z uwagą spojrzy na fotografię ojca i syna z r. 1926. Na tym zdjęciu ojciec ma lat czterdzieści osiem, a syn — siedem. Kontrast między nimi jest pod każdym względem uderzający: potężna, rozrośnięta postać szacha-ojca, który stoi zachmurzony, apodyktyczny, podpierający się rękoma pod boki, a przy nim, sięgająca mu ledwie do pasa, wątła, drobna sylwetka chłopca, który jest blady, stremowany i posłusznie stoi na baczność. Obaj są ubrani w takie same mundury i czapki, mają takie same buty i pasy i tę samą ilość guzików — czternaście. Ta identyczność ubioru to pomysł ojca, który chce, żeby syn, tak bardzo w swojej istocie odmienny, przypominał go jednak możliwie najdokładniej. Syn wyczuwa tę intencję i choć z natury jest słabym, chwiejnym i niepewnym siebie, będzie starał się za wszelką cenę upodobnić do bezwzględnej, despotycznej osobowości ojca. Od tego momentu zaczną w chłopcu rozwijać się i współistnieć dwie natury — jego własna i ta naśladowana; wrodzona i ta rodzicielska, którą dzięki ambitnym staraniom zacznie nabywać. W końcu zostanie tak całkowicie zdominowany przez ojca, że kiedy po latach sam zasiądzie na tronie, będzie odruchowo (ale często także świadomie) powtarzać zachowania taty i nawet już u schyłku własnych rządów powoływać się na jego władczy autorytet. Na razie ojciec zaczyna panowanie z całą wrodzoną mu energią i impetem. Ma rozbudowane poczucie misji i wie, do czego dąży (mówiąc jego brutalnym językiem, chce zagnać ciemny motłoch do roboty i zbudować silne, nowoczesne państwo, przed którym wszyscy — jak powiada — robiliby w portki ze strachu). Ma pruską, żelazną rękę i proste, ekonomskie metody. Stary, drzemiący, rozwałęsany Iran drży w posadach (z jego nakazu Persja nazywa się odtąd Iranem). Zaczyna od stworzenia imponującej armii. Sto pięćdziesiąt tysięcy ludzi dostaje mundury i broń. Armia jest jego oczkiem w głowie, jego największą namiętnością. Armia musi mieć zawsze pieniądze, musi mieć wszystko. Armia zapędzi naród w nowoczesność, w dyscyplinę i posłuszeństwo. Wszyscy muszą stać na baczność! Wydaje zakaz noszenia irańskich ubrań. Wszyscy muszą chodzić w europejskich garniturach! Wydaje zakaz noszenia irańskich czapek. Wszyscy muszą chodzić w czapkach europejskich! Wydaje zakaz noszenia czadorów. Na ulicach policja zdziera czadory z przerażonych kobiet. Przeciw tym praktykom protestują wierni w meczetach Meszhedu. Wysyła artylerię, która burzy meczety i masakruje buntowników. Każe osiedlać plemiona koczownicze. Koczownicy protestują. Każe zatruwać im studnie, skazując ich na śmierć głodową. Koczownicy protestują nadal, więc wysyła przeciw nim karne ekspedycje, które zamieniają całe okręgi w ziemię bezludną. Dużo krwi płynie drogami Iranu. Zakazuje fotografować wielbłądy. Wielbłąd, powiada, to zwierzę zacofane. W Qom jakiś mułła wygłasza krytyczne kazania. Wchodzi do meczetu i grzmoci krytyka kijem. Wielkiego ajatollacha Madresi, który podniósł przeciw niemu głos, trzyma latami zamkniętego w lochu. Liberałowie nieśmiało protestują w gazetach. Zamyka gazety, liberałów wsadza do więzienia. Kilku z nich poleca zamurować w wieży. Ci, których uzna za niezadowolonych, za karę muszą meldować się codziennie na policji. Nawet panie z arystokracji mdleją ze strachu w czasie przyjęć, kiedy ten burkliwy i nieprzystępny olbrzym spojrzy na nie surowym wzrokiem. Reza Khan do końca zachował wiele nawyków ze swego wiejskiego dzieciństwa i koszarowej młodości. Mieszka w pałacu, ale nadal sypia na podłodze, zawsze chodzi w mundurze, je z żołnierzami z tego samego kotła. Swój chłop! Jednocześnie jest pazerny na ziemię i pieniądze. Korzystając ze swojej władzy gromadzi niebywały majątek. Staje się największym feudałem, właścicielem blisko trzech tysięcy wsi i dwustu pięćdziesięciu tysięcy chłopów do tych wsi przypisanych, posiada akcje w fabrykach i udziały w bankach, bierze daniny, liczy i liczy, dodaje i dodaje, wystarczy, że błyśnie mu oko, kiedy zobaczy dorodny las, zieloną dolinę, żyzną plantację, a ten las, dolina, plantacja muszą być jego, niestrudzony, nienasycony cały czas powiększa swoje włości, piętrzy i mnoży swoją szaloną fortunę. Nikomu nie wolno zbliżyć się do miedzy, która wyznacza granicę monarszej ziemi. Pewnego dnia odbywa się pokazowa egzekucja — to z rozkazu szacha pluton wojska rozstrzeliwuje osła, który nie bacząc na zakazy wszedł na łąkę należącą do Rezy Khana. Na miejsce egzekucji spędzono okolicznych chłopów, żeby nauczyli się szanować pańską własność. Ale obok okrucieństwa, chciwości i dziwactw, stary szach miał też swoje zasługi. Uratował Iran przed rozpadem, który groził temu państwu po pierwszej wojnie światowej. Ponadto starał się modernizować kraj budując szosy i koleje, szkoły i urzędy, lotniska i nowe dzielnice w miastach. Naród pozostał jednak biedny i apatyczny i kiedy Reza Khan odszedł, uradowany lud długo świętował to zdarzenie.

Fotografia (4)

Słynne zdjęcie, które w swoim czasie obiegło świat: Stalin, Roosevelt i Churchill siedzą w fotelach na przestronnej werandzie. Stalin i Churchill są ubrani w mundury. Roosevelt ma na sobie ciemny garnitur. Teheran, słoneczny grudniowy poranek roku 1943. Wszyscy na tym zdjęciu mają wygląd pogodny i to nas cieszy, ponieważ wiemy, że toczy się najcięższa w dziejach wojna i że wyraz twarzy tych ludzi jest sprawą dla wszystkich istotną: musi budzić otuchę. Fotoreporterzy kończą pracę i wielka trójka przechodzi do hallu na chwilę prywatnej rozmowy. Roosevelt pyta Churchilla, co stało się z władcą tego kraju, szachem Rezą (o ile, zastrzega się Roosevelt, dobrze wymawiam to nazwisko). Churchill wzrusza ramionami, mówi z niechęcią. Szach podziwiał Hitlera i otoczył się jego ludźmi. W całym Iranie było pełno Niemców — w pałacu, w ministerstwie, w armii. Abwehra stała się w Teheranie potęgą, a szach patrzył na to życzliwie, gdyż Hitler prowadził wojnę przeciw Anglii i Rosji, a nasz monarcha nie cierpiał Anglii i Rosji, zacierał ręce, kiedy wojska Führera robiły postępy. Londyn bał się o ropę irańską, która była paliwem dla floty brytyjskiej, a Moskwa obawiała się, że Niemcy wylądują w Iranie i zaatakują w rejonie Morza Kaspijskiego. Ale przede wszystkim chodziło o kolej transirańską, którą Amerykanie i Anglicy chcieli przewozić broń i żywność dla Stalina. Szach odmówił zgody na korzystanie z tej kolei, a moment był dramatyczny: dywizje niemieckie posuwały się coraz dalej na wschód. W tej sytuacji alianci działają stanowczo — w sierpniu 1941 do Iranu wkroczyły oddziały armii brytyjskiej i Armii Czerwonej. Piętnaście dywizji irańskich poddało się bez większego oporu, co szach przyjął jako wiadomość niewiarygodną i przeżył jako osobiste upokorzenie i klęskę. Część jego armii rozeszła się do domu, a część alianci zamknęli w koszarach. Szach, pozbawiony swoich żołnierzy, przestał się liczyć, przestał istnieć. Anglicy, którzy szanują nawet tych monarchów, którzy ich zdradzili, dali szachowi honorowe wyjście — niechże Jego Wysokość zechce abdykować na rzecz swojego syna, następcy tronu. Mamy o nim dobre zdanie i zapewnimy mu poparcie. Ale też niechże Jego Wysokość nie myśli, że ma jakiekolwiek inne wyjście! Szach zgadza się i we wrześniu tegoż roku 41 na tron wstępuje jego dwudziestodwuletni syn Mohammed Reza Pahlavi. Stary szach jest już prywatną osobą i po raz pierwszy w życiu wkłada cywilny garnitur. Anglicy odwożą go okrętem do Afryki, do Johannesburga (gdzie umiera po trzech latach nudnego, choć wygodnego życia, o którym nie da się wiele powiedzieć). We brought him, we took him, zakończył krótko Churchill (myśmy go postawili i myśmy go zdjęli).

Z notatek (1)

Widzę, że brakuje mi kilku zdjęć albo nie umiem ich znaleźć. Nie mam fotografii ostatniego szacha z okresu jego wczesnej młodości. Nie mam z roku 1939, kiedy uczęszcza do szkoły oficerskiej w Teheranie, kończy dwadzieścia lat i ojciec mianuje go generałem. Nie mam zdjęcia jego pierwszej żony — Fawzi, kiedy kąpie się w mleku. Tak, Fawzia, siostra króla Faruka, dziewczyna wielkiej urody, kąpała się w mleku, ale księżniczka Ashraf, bliźniacza siostra młodego szacha i jak mówią — jego zły duch, jego czarne sumienie, wsypywała jej do wanny żrące proszki: ot, jeden ze skandali pałacowych. Mam natomiast fotografię ostatniego szacha z 16 września 1941, kiedy obejmuje po ojcu tron jako szach Mohammed Reza Pahlavi. Stoi w sali parlamentu, szczupły, w dekoracyjnym mundurze, z szablą u boku, i czyta z kartki tekst przysięgi. Zdjęcie to było powtarzane we wszystkich albumach poświęconych szachowi, a było ich dziesiątki, jeśli nie setki. Bardzo lubił czytać o sobie książki i oglądać albumy wydawane na jego cześć.

Bardzo lubił odsłaniać swoje pomniki i swoje portrety. Nie było żadnej trudności z obejrzeniem podobizny szacha. Wystarczyło stanąć w dowolnym miejscu i otworzyć oczy: szach był wszędzie. Ponieważ nie wyróżniał się wysokim wzrostem, fotografowie musieli ustawiać obiektyw tak, żeby na zdjęciu wydawał się najwyższym spośród obecnych. Pomagał im w tych zabiegach chodząc w butach na wysokim obcasie. Poddani całowali go w buty. Mam takie zdjęcie, kiedy leżą przed nim i całują go w buty. Natomiast nie mam fotografii jego munduru z roku 1949. Mundur ten, podziurawiony od kul i zalany krwią, był wystawiony w szklanej gablocie klubu oficerskiego w Teheranie jako relikwia, jako przypomnienie. Szach miał go na sobie, kiedy pewien młody człowiek, który udawał fotoreportera i posługiwał się pistoletem wmontowanym w aparat fotograficzny, oddał do niego serię strzałów ciężko raniąc monarchę. Obliczają, że było pięć zamachów na jego życie. Z tego powodu wytworzył się taki klimat zagrożenia (zresztą realnego), że musiał poruszać się otoczony tłumem policjantów. Irańczyków denerwowało to, że urządzano czasem imprezy z udziałem szacha, na które, ze względów bezpieczeństwa, zapraszano tylko cudzoziemców. Jego rodacy mówili też kąśliwie, że poruszał się po swoim kraju niemal wyłącznie samolotem lub helikopterem, że oglądał swój kraj tylko z lotu ptaka, z tej wygodnej, niwelującej kontrasty perspektywy. Nie mam żadnej fotografii Chomeiniego z lat dawniejszych. Chomeini pojawia się w mojej kolekcji od razu jako starzec, jak gdyby był człowiekiem, który nie miał młodości ani wieku męskiego. Tutejsi fanatycy wierzą, że Chomeini jest owym dwunastym imamem, Oczekiwanym, który zniknął w dziewiątym wieku i teraz, kiedy minęło ponad tysiąc lat, powrócił, żeby wybawić ich od biedy i prześladowań. Dosyć to paradoksalne, ale fakt, że Chomeini widoczny jest na fotografiach od razu jako mąż wiekowy, mógłby potwierdzić ową złudną wiarę.

Fotografia (5)

Możemy sądzić, że jest to największy dzień w długim życiu doktora Mossadegha. Doktor opuszcza parlament niesiony na ramionach rozradowanego tłumu. Jest uśmiechnięty, prawa ręka wyciągnięta w górę pozdrawia ludzi. Trzy dni wcześniej, 28 kwietnia 1951, został premierem, a dzisiaj parlament uchwalił jego projekt ustawy o nacjonalizacji ropy naftowej. Największy skarb Iranu stał się własnością narodu. Musimy wczuć się w atmosferę tamtej epoki, gdyż świat od tego czasu bardzo się zmienił. W tamtych latach zdobyć się na podobny czyn, jakiego dokonał Mossadegh, równało się nagłemu, nieoczekiwanemu zrzuceniu bomby na Londyn czy Waszyngton. Efekt psychologiczny był ten sam — szok, strach, gniew, oburzenie. Gdzieś-tam, w jakimś-tam Iranie, jakiś-tam stary adwokat i najpewniej nieobliczalny demagog targnął się na Anglo-Iranian — filar naszego imperium! Niesłychane i — co najważniejsze — niewybaczalne! Własność kolonialna była naprawdę wartością świętą, była niedotykalnym tabu. Ale owego dnia, którego podniosły nastrój odbija się na wszystkich twarzach widocznych na fotografii, Irańczycy jeszcze nie wiedzą, że popełnili zbrodnię i że będą musieli odcierpieć dotkliwą karę. Na razie cały Teheran przeżywa godziny radości, przeżywa wielki dzień oczyszczenia z obcej i nienawistnej przeszłości. Nafta jest naszą krwią! skandują szalejące tłumy, nafta jest naszą wolnością! Klimat miasta udziela się także pałacowi i szach składa swój podpis pod aktem nacjonalizacji. Jest to moment zbratania się wszystkich, rzadka chwila, która szybko stanie się wspomnieniem, bo zgoda w rodzinie narodowej nie będzie trwać długo. Stosunki między Mossadeghem a obu szachami Pahlavi (ojcem i synem) nigdy nie układały się dobrze. Mossadegh był człowiekiem francuskiej formacji myślowej, był liberałem i demokratą, wierzył w takie instytucje jak parlament i wolna prasa i ubolewał nad stanem zależności, w jakim znajdowała się jego ojczyzna. Już w latach pierwszej wojny światowej, po powrocie ze studiów w Europie, zostaje członkiem parlamentu i na tym forum walczy z korupcją i lokajstwem, z okrucieństwem władzy i sprzedajnością elity. Kiedy Reza Khan dokonuje przewrotu i wkłada koronę szacha, Mossadegh występuje przeciw niemu z całą gwałtownością uważając go za stupajkę i uzurpatora i na znak protestu rezygnuje z parlamentu i wycofuje się z życia publicznego. Po upadku Rezy Khana przed Mossadeghem i ludźmi jego pokroju otwiera się wielka szansa. Młody szach jest człowiekiem, którego w tamtym okresie bardziej interesują zabawy i sport niż polityka, istnieje więc możliwość stworzenia w Iranie demokracji i zdobycia dla kraju pełnej niezależności. Siły Mossadegha są tak duże, a jego hasła tak popularne, że szach jest odsunięty na uboczne. Gra w piłkę nożną, lata swoim prywatnym samolotem, urządza bale maskowe, rozwodzi się i żeni, jeździ do Szwajcarii na narty. Szach nigdy nie był postacią popularną i krąg ludzi, z którymi utrzymywał bliższe kontakty, miał ograniczony charakter. Teraz w kręgu tym znajdują się przede wszystkim oficerowie, opora pałacu. Starsi oficerowie pamiętający prestiż i siłę armii, jaką miała ta instytucja w latach szacha Rezy, i młodzi oficerowie, koledzy nowego szacha ze szkoły wojskowej. I jednych, i drugich razi demokratyzm Mossadegha i wprowadzone przez niego rządy ulicy. Ale u boku Mossadegha stoi w tym czasie postać o najwyższym autorytecie — ajatollach Kashani, a to oznacza, że stary doktor ma za sobą cały naród.

Fotografia (6)

Szach i jego nowa małżonka Soraya Esfandiari w Rzymie. Ale nie jest to ich podróż poślubna, radosna i beztroska przygoda z dala od zmartwień i rutyny codziennego życia, nie, jest to ich ucieczka z kraju. Nawet na tym pozowanym zdjęciu trzydziestoczteroletni szach (w jasnym, dwurzędowym garniturze, młody, opalony) nie umie ukryć zdenerwowania, jednakże trudno mu się dziwić, w tych dniach ważą się jego monarsze losy — nie wie, czy wróci na opuszczony w pośpiechu tron, czy będzie pędził żywot błąkającego się po świecie emigranta. Natomiast Soraya, kobieta wybitnej, choć chłodnej urody, córka wodza plemienia Bakhtiarów i osiadłej w Iranie Niemki, wygląda na bardziej opanowaną, ma twarz, z której trudno coś wyczytać, tym bardziej że przesłoniła oczy ciemnymi okularami. Wczoraj, siedemnastego sierpnia 1953, przylecieli tu z Iranu własnym samolotem (pilotowanym przez szacha, to zdjęcie zawsze go odprężało) i zatrzymali się w doskonałym Hotelu Excelsior, w którym teraz tłoczą się dziesiątki fotoreporterów oczekujących na każde pojawienie się cesarskiej pary. Rzym o tej letniej, wakacyjnej porze jest miastem pełnym turystów, na włoskich plażach panuje tłok (właśnie w modę wchodzi kostium bikini). Europa wypoczywa, wczasuje, zwiedza zabytki, odżywia się w dobrych restauracjach, wędruje po górach, rozbija namioty, nabiera sił i zdrowia na jesienne chłody i śnieżną zimę. Tymczasem w Teheranie nie ma chwili spokoju, nikt nie myśli o relaksie, bo czuć już zapach prochu i słychać, jak ostrzą noże. Wszyscy mówią, że coś musi się stać, że stanie się na pewno (wszyscy odczuwają męczące ciśnienie coraz bardziej gęstniejącego powietrza, które zapowiada zbliżający się wybuch), ale o tym, kto zacznie i w jaki sposób, wie tylko garstka konspiratorów. Dwa lata rządów doktora Mossadegha dobiegły końca. Doktor, któremu od dawna grozi zamach (spiskują przeciw niemu, demokracie i liberałowi, zarówno ludzie szacha, jak i fanatycy islamscy), przeniósł się ze swoim łóżkiem, walizką piżam (miał zwyczaj urzędować w piżamie) i torbą z obfitym zapasem lekarstw do parlamentu, gdzie sądzi, że jest najbezpieczniej. Tutaj mieszka i urzęduje nie wychodząc na zewnątrz, załamany już do tego stopnia, że ci, którzy go widzieli w owych dniach, zwrócili uwagę na łzy w je-

go oczach. Wszystkie jego nadzieje zawiodły, jego oblicze-
nia okazały się błędne. Wyrugował Anglików z pól naftowych głosząc, że każdy kraj ma prawo do własnych bo-
gactw, ale zapomniał, że siła stoi przed prawem. Zachód
ogłosił blokadę Iranu i bojkot irańskiej nafty, która stała
się na rynkach owocem zakazanym. Mossadegh liczył, że
w sporze z Anglią jego racje uznają Amerykanie i że mu
pomogą. Ale Amerykanie nie podali mu ręki. Iran, który
poza naftą nie ma wiele do sprzedania, stanął na skraju
bankructwa. Doktor pisze do Eisenhowera list za listem,
apeluje do jego sumienia i rozumu, ale listy pozostają bez
odpowiedzi. Eisenhower podejrzewa go o komunizm, choć
Mossadegh jest niezależnym patriotą i przeciwnikiem komunistów. Ale jego wyjaśnień nikt nie chce słuchać, gdyż
w oczach możnych tego świata patrioci z krajów słabych
wyglądają podejrzanie. Eisenhower rozmawia już z szachem, liczy na niego, jednakże szach jest w swoim kraju
bojkotowany, od dawna nie wychodzi z pałacu, przeżywa
lęki i depresje, boi się, że rozkołysana i gniewna ulica pozbawi go tronu, mówi do swoich najbliższych — wszystko
stracone! wszystko stracone! waha się, czy usłuchać stojących najbliżej pałacu oficerów, którzy radzą mu usunąć
Mossadegha, jeśli chce uratować monarchię i armię (Mossadegh zraził sobie wyższych oficerów, gdyż zwolnił ostatnio dwudziestu pięciu generałów oskarżając ich o zdradę
ojczyzny i demokracji), długo nie może zdobyć się na żaden
krok ostateczny, który spali do reszty i tak już wątłe mosty
między nim a premierem (obaj uwikłani są w walce, której
nie da się rozstrzygnąć polubownie, ponieważ jest to kon-
flikt między zasadą jedynowładztwa, którą prezentuje
szach, a zasadą demokracji, którą głosi Mossadegh), być
może szach ciągle zwleka, gdyż czuje wobec starego doktora
jakiś respekt, a może po prostu nie ma odwagi wypowiedzieć mu wojny, nie ma pewności siebie i woli niezłomnego
działania. Na pewno chciałby, żeby tę całą bolesną i nawet
brutalną operację zrobili za niego inni. Jeszcze niezdecydo-

wany i stale rozdrażniony wyjeżdża z Teheranu do swojej letniej rezydencji nad Morzem Kaspijskim, w Ramsar, gdzie w końcu podpisze na premiera wyrok, ale kiedy okaże się, że pierwsza próba rozprawy z doktorem wyszła przedwcześnie na światło dzienne i skończyła się porażką pałacu, nie czekając na dalszy (a jak dowiodły wypadki, pomyślny dla niego) rozwój wydarzeń, zbiegnie ze swoją młodą małżonką do Rzymu.

Fotografia (7)

Zdjęcie wycięte z gazety, ale nieuważnie, w tak niestaranny sposób, że brakuje podpisu. Na zdjęciu widać stojący na wysokim, granitowym cokole pomnik jeźdźca na koniu. Jeździec, który jest postacią herkulesowej budowy, siedzi wygodnie w siodle trzymając lewą rękę opartą na łęku, a prawą wskazując przed sobą jakiś cel (prawdopodobnie wskazując przyszłość). Wokół szyi jeźdźca zawiązana jest lina. Druga podobna lina oplata szyję wierzchowca. Gromada mężczyzn stojących na skwerze pod pomnikiem ciągnie za obie liny. Wszystko dzieje się na placu wypełnionym tłumem ludzi przyglądających się z uwagą mężczyznom, którzy uwieszeni do lin starają się pokonać opór, jaki stawia ciężka, mosiężna bryła monumentu. Fotografia zrobiona jest w momencie, kiedy liny są napięte jak struny, a jeździec i koń tak już przechyleni na bok, że za chwilę runą na ziemię. Mimo woli zastanawiamy się, czy ci, którzy ciągną liny z takim mozołem i zaparciem, zdążą uskoczyć na bok, tym bardziej że mają mało miejsca, ponieważ dookoła skweru tłoczą się natrętni gapie. Zdjęcie to przedstawia burzenie pomnika jednego z szachów (ojca lub syna) w Teheranie albo w innym mieście irańskim. Trudno jednak określić, z jakich lat pochodzi ta fotografia, ponieważ pomniki obu szachów Pahlavi były burzone kilkakrotnie, to znaczy zawsze, ilekroć lud miał ku temu okazję. Teraz też, dowiedziawszy się, że szach zniknął z pałacu i schronił się w Rzymie, ludzie wyszli na plac i zburzyli pomniki dynastii.

Gazeta (1)

Wywiad z burzycielem pomników szacha, przeprowadzony przez reportera teherańskiego dziennika „Kayhan":

— W waszej dzielnicy zdobyliście sobie, Golamie, popularność jako burzyciel pomników, a nawet uważają Was za swojego rodzaju weterana w tej dziedzinie.

— To prawda. Po raz pierwszy burzyłem pomniki jeszcze starego szacha, to znaczy ojca Mohammeda Rezy, kiedy ustąpił w roku 41. Pamiętam, że była wielka radość w mieście, kiedy rozeszła się wiadomość, że stary szach odszedł. Od razu wszyscy rzucili się burzyć jego pomniki. Byłem wówczas młodym chłopcem i pomagałem ojcu, który razem z sąsiadami burzył pomnik, jaki Reza Khan postawił sobie w naszej dzielnicy. Mogę powiedzieć, że był to mój chrzest bojowy.

— Czy byliście za to prześladowani?

— Wtedy jeszcze nie. To były lata, kiedy po odejściu starego szacha była przez jakiś czas swoboda. Młody szach nie miał wówczas tyle siły, żeby narzucić swoją władzę. Kto miał nas prześladować? Wszyscy występowali przeciw monarchii. Szacha popierała tylko część oficerów i oczywiście Amerykanie. Potem zrobili przewrót, zamknęli naszego Mossadegha, wystrzelali jego ludzi, a także komunistów. Szach wrócił i zaprowadził dyktaturę. To było w roku 1953.

— Czy pamiętacie rok 53?

— Oczywiście, że pamiętam, to był przecież najważniejszy rok, bo wtedy skończyła się demokracja, a zaczął się reżim. W każdym razie przypominam sobie, jak radio podało, że szach uciekł do Europy, i kiedy ludzie to usłyszeli, ruszyli na ulicę i zaczęli burzyć pomniki. Muszę tu powiedzieć, że młody szach od początku stawiał ojcu i sobie pomniki, więc przez te lata uzbierało się trochę do burzenia. Wtedy już nie żył mój ojciec, ale byłem dorosły i pierwszy raz wystąpiłem jako burzyciel samodzielny.

— I co, zburzyliście wszystkie jego pomniki?

— Tak, to była gładka robota. Kiedy po przewrocie wrócił szach, nie było ani jednego pomnika Pahlavich. Ale zaraz zaczął od nowa stawiać pomniki ojcu i sobie.

— To znaczy, co wyście zburzyli — on zaraz postawił, co on postawił — wyście w końcu zburzyli i tak w kółko?

— Rzeczywiście tak było, to prawda. Można powiedzieć, że opadały nam ręce. Zburzyliśmy jeden — on stawiał trzy, zburzyliśmy trzy — stawiał dziesięć. Nie było widać końca tego wszystkiego.

— A następnie, po roku 53, kiedy znowu burzyliście?

— Mieliśmy zamiar robić to w roku 63, a więc w czasie powstania, które wybuchło, kiedy szach zamknął Chomeiniego. Ale szach rozpoczął zaraz taką masakrę, że nie zdążyliśmy nic zburzyć i musieliśmy z powrotem ukryć powrozy.

— Czy mam rozumieć, że mieliście do tego celu specjalne powrozy?

— A jakże! Trzymaliśmy tęgie, sizalowe liny schowane u sprzedawcy powrozów na bazarze. Nie było żartów, gdyby policja wpadła na nasz ślad, poszlibyśmy pod ścianę. Wszystko mieliśmy przygotowane na właściwą chwilę, obmyślane i przećwiczone. W czasie ostatniej rewolucji, to znaczy w roku 79, całe nieszczęście polegało na tym, że do burzenia wzięło się wielu amatorów i dlatego było dużo wypadków, bo zwalali sobie pomniki na głowę. Zburzyć pomnik nie jest tak łatwo, potrzebne jest fachowe podejście i praktyka. Trzeba wiedzieć, z czego jest zrobiony, jaką ma wagę, jaką wysokość, czy jest dookoła przyspawany, czy złączony cementem, w którym miejscu zaczepić linę, w którą stronę rozbujać figurę i jak ją potem zniszczyć. Myśmy to opracowywali już w momencie, kiedy oni stawiali kolejny pomnik szacha. Była to najlepsza okazja, żeby podpatrzeć, jaka jest konstrukcja, czy figura jest pusta, czy wypełniona i najważniejsze — jakie jest łączenie z cokołem, jakiego użyli sposobu, żeby przymocować pomnik.

— Musieliście poświęcać na to dużo czasu.

— Bardzo dużo! Pan wie, że w ostatnich latach stawiał sobie coraz więcej pomników. Wszędzie — na placach, na ulicach, na dworcach, przy drogach. A poza tym inni też mu stawiali pomniki. Kto chciał dostać dobry kontrakt i bić konkurencję, spieszył się, żeby pierwszy postawić mu pomnik. Dlatego dużo pomników było tandetnej roboty i kiedy nadszedł czas, mogliśmy je łatwo zburzyć. Ale przyznam się, że w pewnym momencie zacząłem wątpić, czy zdołamy zburzyć taką ilość pomników. Przecież tego były setki. I rzeczywiście, pracowaliśmy nie żałując potu. Miałem na rękach odciski i bąble od powrozu.

— Tak, przypadło Wam, Golamie, ciekawe zajęcie.

— To nie było zajęcie, to była powinność. Jestem bardzo dumny, że byłem burzycielem pomników szacha. Myślę, że wszyscy, którzy wzięli udział w burzeniu pomników, są z tego dumni. To, co zrobiliśmy, jest widoczne dla każdego, wszystkie cokoły są puste, a figury szachów zostały rozbite albo leżą gdzieś na podwórkach.

Książka (1)

Amerykańscy reporterzy David Wise i Thomas B. Ross piszą w swojej książce „The Invisible Government" (Londyn 1965):

„Nie ma żadnej wątpliwości, że CIA zorganizowała i kierowała przewrotem, który w 1953 doprowadził do obalenia premiera Mohammeda Mossadegha i utrzymał na tronie szacha Mohammeda Rezę Pahlavi. Ale niewielu Amerykanów wie, że na czele przewrotu stał agent CIA, który był wnukiem prezydenta Theodore'a Roosevelta. Człowiek ten — Kermit Roosevelt — przeprowadził w Teheranie tak spektakularną operację, że jeszcze przez szereg lat w środowisku CIA nazywano go Mister Iran. W kołach tej agencji szerzyła się legenda, że Kermit kierował zamachem na Mossadegha trzymając pistolet przy skroni irańskiego dowódcy czołgu, kiedy kolumna pancerna wtoczyła się na ulice Teheranu. Ale inny agent, który wiedział dobrze, jak przebiegały wydarzenia, określił tę opowieść jako «nieco romantyczną» i powiedział: «Kermit kierował całą operacją nie z terenu naszej ambasady, lecz z pewnej piwnicy w Teheranie» i dodał z podziwem: «Była to naprawdę operacja na miarę Jamesa Bonda».

Generał Fazollah Zahedi, którego CIA wytypowała na miejsce premiera Mossadegha, był również postacią zasługującą na to, aby stać się bohaterem powieści szpiegowskiej. Był to wysoki, przystojny kobieciarz, który walczył z bolszewikami, następnie został schwytany przez Kurdów, a w 1942 aresztowany przez Anglików, którzy podejrzewali go, że jest agentem Hitlera. W czasie drugiej wojny światowej Anglicy i Rosjanie wspólnie okupowali Iran. Brytyjscy agenci, którzy zamknęli Zahediego, twierdzą, że znaleźli w jego sypialni następujące rzeczy: kolekcję niemieckiej broni automatycznej, damskie jedwabne majteczki, trochę opium, listy od niemieckich spadochroniarzy, którzy działali w górach, i ilustrowany rejestr najbardziej pikantnych prostytutek w Teheranie.

Po wojnie Zahedi szybko powrócił do życia publicznego. Był ministrem spraw wewnętrznych, kiedy Mossadegh został premierem w 1951. Mossadegh znacjonalizował brytyjską firmę Anglo-Iranian i zajął wielką rafinerię w Abadanie, w Zatoce Perskiej.

Mossadegh tolerował Tudeh, irańską partię komunistyczną, więc Londyn i Waszyngton obawiały się, że Rosjanie wejdą w posiadanie wielkich rezerw naftowych Iranu. Mossadegh, który kierował krajem leżąc w łóżku — twierdził, że jest bardzo chory — zerwał z Zahedim, gdyż ten sprzeciwiał się pobłażliwemu traktowaniu komunistów. Taka była sytuacja, kiedy CIA i Kermit Roosevelt zaczęli działać, aby usunąć Mossadegha i postawić na to stanowisko Zahediego. Decyzja o obaleniu Mossadegha została podjęta wspólnie przez rządy brytyjski i amerykański. CIA oceniła, że operacja uda się, ponieważ warunki były sprzyjające. Roosevelt, który miał wówczas 37 lat, ale był już weteranem wywiadu, dostał się do Iranu nielegalnie. Przejechał granicę samochodem, dotarł do Teheranu i tutaj zniknął z oczu. Musiał zniknąć, gdyż odwiedzał przedtem Iran szereg razy i jego twarz była tu znana. Kilka razy zmieniał swoją kwaterę, aby agenci Mossadegha nie wpadli na jego trop. Pomagało mu pięciu Amerykanów, między innymi agenci CIA z ambasady amerykańskiej. Poza tym współdziałało z nim kilku miejscowych agentów, w tym dwóch wysokich funkcjonariuszy wywiadu irańskiego, z którymi utrzymywali łączność przez pośredników.

13 sierpnia szach podpisał dekret, w którym usuwa Mossadegha i mianuje premierem Zahediego. Ale Mossadegh aresztuje pułkownika, przynoszącego mu ten dokument (był to późniejszy szef Savaku, Nematollach Nassiri). Na ulice wyszły tłumy, aby manifestować przeciw decyzji szacha. W tej sytuacji szach i jego żona Soraya uciekli samolotem do Bagdadu, a potem do Rzymu.

W ciągu następnych dwóch dni panował taki chaos, że Roosevelt stracił kontakt z irańskimi agentami. W tym czasie szach dotarł do Rzymu, dokąd udał się również szef CIA Allen Dulles, aby wspólnie z Mohammedem Rezą koordynować akcję. W Teheranie komunistyczne tłumy kontrolowały ulicę. Świętowały wyjazd szacha niszcząc jego pomniki. Wówczas wojsko wyszło z koszar i zaczęło otaczać manifestantów. Rankiem 19 sierpnia Roosevelt, który ciągle przebywał w ukryciu, dał rozkaz irańskim agentom, aby rzucili na ulicę wszystkich, kogo będą w stanie.

Agenci udali się do klubów atletycznych i tam zwerbowali dziwną mieszaninę ciężarowców i gimnastyków, z której utworzyli niebywały pochód. Pochód ten ruszył przez bazar wznosząc okrzyki na cześć szacha. Wieczorem Zahedi wyszedł z ukrycia. Szach powrócił z zesłania. Mossadegh poszedł do więzienia. Przywódcy Tudeh zostali wymordowani. Oczywiście Stany Zjednoczone nigdy nie przyznały się oficjalnie do roli, jaką odegrała CIA. Stosunkowo najwięcej powiedział na ten temat sam Dulles, kiedy po swoim odejściu z CIA wystąpił w 1962 w programie telewizji CBS. Zapytany, czy to prawda, że «CIA wydała miliony dolarów na wynajęcie ludzi, którzy manifestowali na ulicach, i na inne akty mające na celu usunięcie Mossadegha», Dulles odpowiedział: «OK, mogę tylko powiedzieć, że twierdzenie, jakobyśmy wydali na ten cel dużo dolarów, jest całkowicie fałszywe»".

Książka (2)

Dwoje reporterów francuskich Claire Briere i Pierre Blanchet piszą w swej książce „Iran: la révolution au nom de Dieu" (Paryż 1979):

„Roosevelt dochodzi do wniosku, że nadszedł czas rzucić do ataku oddziały Chabahana Bimora, którego nazywają «Chabahanem Bezmózgim», a który jest szefem gangu lumpów Teheranu i mistrzem Zour Khana — narodowej walki zapaśniczej. Chabahan może zebrać trzystu, czterystu przyjaciół, którzy mogą bić, a jeśli trzeba, również strzelać. Pod warunkiem, oczywiście, że dostaną broń. Nowy ambasador Stanów Zjednoczonych Loy Henderson udaje się do Banku Melli i bierze pakiety dolarów, którymi wypełnia swój samochód. Czterysta tysięcy dolarów, jak mówią. Wymienia je na rialsy.

19 sierpnia małe grupy Irańczyków (są to ludzie «Bezmózgiego») wyciągają banknoty i krzyczą: «Wołajcie —

niech żyje szach!» Ci, którzy wznoszą ten okrzyk, dostają dziesięć rialsów. Wokół parlamentu zaczynają gromadzić się coraz większe grupy, tworzące w końcu pochód, który wymachując pieniędzmi woła «Niech żyje szach!» Tłum robi się coraz większy, jedni wznoszą okrzyki na cześć szacha, inni — Mossadegha.

Ale oto pojawiają się czołgi, które atakują manifestację przeciwników szacha: to wkracza Zahedi. Działa i karabiny maszynowe strzelają do tłumu. W tym miejscu padnie dwustu zabitych i ponad pięciuset rannych. O czwartej wszystko jest skończone i Zahedi depeszuje do szacha, że może wracać.

26 października 1953 Teymur Bakhtiar zostaje mianowany gubernatorem wojskowym Teheranu. Okrutny i bezlitosny, otrzyma wkrótce przydomek «Zabójcy». Zajmuje się głównie ściganiem stronników Mossadegha, którym udało się ukryć. Opróżnia więzienie Qasr ze wszystkich kryminalistów. Czołgi i wozy pancerne strzegą więzienia, do którego ciężarówki wojskowe bez przerwy przywożą aresztowanych. Zwolennicy Mossadegha, ministrowie, podejrzani oficerowie, działacze Tudeh są przesłuchiwani i torturowani. Na dziedzińcu odbywają się setki egzekucji.

W pamięci Irańczyków dzień przewrotu — 19 sierpnia 1953 — jest dniem prawdziwego wstąpienia na tron szacha Mohammeda Rezy Pahlavi, wstąpienia, któremu towarzyszyły krew i straszliwe represje".

Kaseta (1)

Tak, oczywiście może pan nagrywać. Teraz to już nie jest tematem zakazanym. Przedtem — tak. Czy pan wie, że przez dwadzieścia pięć lat nie wolno było publicznie wymówić jego nazwiska? Że słowo Mossadegh zostało wykreślone ze wszystkich książek? Ze wszystkich podręczników? I niech pan sobie wyobrazi, że teraz młodzi ludzie, którzy — sądziło się — nic o nim nie powinni wiedzieć, szli na śmierć niosąc jego portrety. Ma pan najlepszy dowód, co daje takie wykreślanie, całe to przerabianie historii. Ale szach tego nie rozumiał. Nie rozumiał, że można człowieka zniszczyć, ale to wcale nie znaczy, że on przestanie istnieć. Przeciwnie, jeśli mogę tak powiedzieć, on zacznie istnieć jeszcze bardziej. To są paradoksy, z którymi żaden despota nie może sobie poradzić. Machnie kosą, ale trawa zaraz odrasta, machnie jeszcze raz, a trawa rośnie wysoka jak nigdy. Bardzo pocieszające prawo natury. Mossadegh! Anglicy nazywali go poufale — Old Mossy. Byli wściekli na niego, ale jednak darzyli go jakimś szacunkiem. Żaden Anglik nie oddał strzału w jego stronę. Trzeba było dopiero ściągać naszych rodzimych umundurowanych łotrów. W ciągu kilku dni zaprowadzili swoje porządki! Mossy poszedł na trzy lata do więzienia. Pięć tysięcy ludzi poszło pod ścianę albo padło na ulicy. Ma pan cenę uratowania tronu. Smutne, krwawe i brudne entrée. Pyta pan, czy Mossadegh musiał przegrać? Przede wszystkim on nie przegrał, on wygrał. Pan nie może mierzyć takich ludzi miarą urzędu, tylko miarą historii, a są to różne rzeczy. Takiego człowieka można usunąć z urzędu, ale nikt nie usunie go z historii, ponieważ nikt nie będzie zdolny wykreślić go z pamięci ludzi. Pamięć jest prywatną własnością, do której żadna władza nie ma dostępu. Mossy mówił, że ziemia, po której chodzimy, jest nasza i wszystko, co znajduje się w tej ziemi, jest nasze. W tym kraju nikt przed nim nie wyraził tego w taki sposób. Mówił także — niech wszyscy powiedzą to, co myślą, niech zabiorą głos, chcę słyszeć wasze myśli. Pan rozumie, po dwóch i pół tysiącach lat despotycznego upodlenia zwrócił naszemu człowiekowi uwagę na to, że jest istotą myślącą. Tego nigdy nie zrobił żaden władca! To, co mówił Mossy, zostało zapamiętane, to weszło ludziom do głowy i żyje w nich do dnia dzisiejszego. Zawsze najlepiej pamiętamy słowa, które otwierały nam oczy na świat. A to były takie właśnie słowa. Czy może ktoś powiedzieć, że w tym, co robił i głosił, nie miał racji? Nikt uczciwy nie wyrazi podobnej opinii. Dzisiaj wszyscy stwierdzą, że miał rację, tylko problem polegał na tym, że on miał rację za wcześnie. Pan nie może mieć racji za wcześnie, gdyż wtedy ryzykuje pan własną karierą, a czasem własnym życiem. Każda racja dojrzewa długo, a ludzie w tym czasie cierpią albo błądzą w ciemnościach. Ale nagle przychodzi człowiek, który głosi tę rację, nim ona jeszcze dojrzała, nim stała się prawdą powszechną, i wtedy przeciw takiemu heretykowi powstają siły panujące i rzucają go na płonący stos albo strącają do lochu, albo wieszają na szubienicy, ponieważ zagraża ich interesom, zakłóca ich spokój. Mossy wystąpił przeciw dyktaturze monarchii i przeciw zależności kraju. Dzisiaj monarchie upadają jedna po drugiej, a zależność musi ukrywać się pod tysiącem postaci, tak wielkie budzi sprzeciwy. Ale on z tym wystąpił przed trzydziestu laty, kiedy tutaj nikt głośno nie odważył się powiedzieć tych oczywistych rzeczy. Widziałem go na dwa tygodnie przed jego śmiercią. Kiedy? Musiało to być w lutym sześćdziesiątego siódmego roku. Ostatnie dziesięć lat życia spędził w areszcie domowym, w małym folwarku pod Teheranem. Oczywiście wstęp był wzbroniony, całego terenu strzegła policja. Ale, pan rozumie, w tym kraju mając znajomości i pieniądze można załatwić wszystko. Pieniądz przemieni każdą rzecz w rozciągliwą gumę. Mossy musiał mieć wówczas blisko dziewięćdziesiątki. Myślę, że trzymał się tak długo, gdyż bardzo chciał doczekać chwili, kiedy życie przyzna mu rację. Był twardym człowiekiem, trudnym dla innych, gdyż nigdy nie chciał ustąpić. Ale tacy ludzie nie potrafią i nawet nie mogą ustępować. Do końca zachował jasny umysł i zdawał sobie sprawę ze wszystkiego. Tylko już z trudem chodził podpierając się laską. Przystawał i kładł się na ziemi, żeby odpocząć. Policjanci, którzy go strzegli, mówili potem, że pewnego ranka idąc tak i odpoczywając też położył się na ziemi, ale długo nie wstawał i kiedy podeszli bliżej, zobaczyli, że już nie żyje.

Z notatek (2)

Nafta rozpala niezwykłe emocje i namiętności, ponieważ nafta jest przede wszystkim wielką pokusą. Jest pokusą łatwych i olbrzymich pieniędzy, bogactwa i siły, fortuny i potęgi. Jest to brudna i cuchnąca ciecz, która ochoczo tryska w górę, a potem opada na ziemię w postaci szeleszczącego deszczu pieniędzy. Ktoś, kto odkrył i posiadł źródło ropy, czuje się tak, jakby po długiej wędrówce w podziemiach napotkał nagle skarbiec królewski. Nie tylko stał się bogaczem, ale nawiedza go nieco mistyczne przekonanie, że jakaś wyższa siła spojrzała na niego łaskawym okiem, że szczodrobliwie wyniosła go ponad innych i obrała swoim faworytem. Zachowało się wiele fotografii, na których utrwalona jest chwila, kiedy z szybu następuje pierwszy wytrysk ropy: ludzie skaczą z radości, padają sobie w objęcia, płaczą. Trudno by wyobrazić sobie robotnika, który wpada w euforię po wkręceniu kolejnej śrubki na taśmie montażowej, lub uznojonego chłopa, który skacze z radości idąc za pługiem. Bo też ropa daje złudzenie życia zupełnie odmiennego, życia bez wysiłku, życia za darmo. Ropa jest surowcem, który zatruwa myśli, mąci wzrok, demoralizuje. Ludzie z biednego kraju chodzą i rozmyślają: Boże, żebyśmy mieli ropę! Myśl o nafcie doskonale wyraża odwieczne ludzkie marzenie o bogactwie osiągniętym przez szczęśliwy przypadek, przez łut szczęścia, a nie drogą wysiłku, potu, męki, katorgi. W tym sensie ropa jest bajką i jak każda bajka — jest kłamstwem. Ropa napełnia człowieka taką pychą, iż zaczyna wierzyć, że może łatwo zburzyć tak oporną i nieustępliwą kategorię, jaką jest czas. Mając ropę, mawiał ostatni szach, w ciągu jednego pokolenia stworzę drugą Amerykę! Nie stworzył. Ropa jest silna, ale ma też słabe strony — nie zastępuje myślenia, nie zastępuje mądrości. Jedną z kuszących zalet ropy, która najbardziej pociąga panujących, jest to, że ropa umacnia władzę. Ropa daje wielkie zyski, ale pracuje przy niej niewielu ludzi. Ropa jest społecznie mało kłopotliwa, bo nie wytwarza licznego proletariatu ani licznej burżuazji, a więc rząd nie musi z nikim dzielić się dochodami i może nimi swobodnie dysponować wedle własnych pomysłów i chęci. Spójrzmy na ministrów z krajów naftowych — jak wysoko unoszą głowy, jakie mają poczucie siły, oni, energetyczni lordowie, którzy zdecydują, czy jutro będziemy jeździć samochodem, czy chodzić piechotą. A nafta i meczet? Ile wigoru, ile blasku i znaczenia dodało to nowe bogactwo ich religii — islamowi, który przeżywa okres wzmożonej ekspansji zdobywając ciągle nowe tłumy wiernych.

Z notatek (3)

Mówi, że to, co stało się później z szachem, było w istocie bardzo irańskie. Od niepamiętnych czasów panowanie każdego szacha kończyło się w żałosny i haniebny sposób. Albo ginął ze ściętą głową lub z nożem w plecach, albo — jeśli miał więcej szczęścia — wymykał się śmierci, ale musiał uciekać z kraju i dopiero później umierał na zesłaniu, opuszczony i zapomniany. Nie pamięta, choć może były jakieś wyjątki, żeby szach umarł na tronie śmiercią naturalną i dokonał żywota otoczony szacunkiem i miłością. Nie pamięta, żeby naród opłakiwał któregoś z szachów i odprowadzał go do grobu ze łzami w oczach. W naszym stuleciu wszyscy szachowie, a było ich kilku, tracili koronę i życie w przykrych dla siebie okolicznościach. Lud uważał ich za okrutników, wytykał im podłość, ich odejściu towarzyszyły wyzwiska i przekleństwa tłumu, a wiadomość o ich śmierci stawała się radosnym świętem.

(Mówię mu, że nigdy nie zrozumiemy tych rzeczy, ponieważ dzieli nas głęboka różnica tradycji. Poczet naszych królów składał się w większości z ludzi, którzy nie łaknęli krwi i pozostawili po sobie dobrą pamięć. Jeden z królów polskich zastał kraj drewniany, a zostawił murowany, inny głosił zasadę tolerancji i nie pozwalał rozpalać stosów, jeszcze inny obronił nas przed zalewem barbarzyństwa. Mieliśmy króla, który nagradzał uczonych, i takiego, który przyjaźnił się z poetami. Nawet przydomki, jakie im nadawano — Odnowiciel, Szczodry, Sprawiedliwy, Pobożny — świadczą o tym, że myślano o nich z uznaniem i sympatią. Dlatego w moim kraju, jeżeli ludzie słyszą, że jakiegoś monarchę spotkał okrutny los, odruchowo przenoszą na niego uczucia zrodzone z zupełnie innej tradycji, z innego doświadczenia i darzą tego pokaranego władcę podobnym sentymentem, z jakim wspominamy naszych Odnowicieli i Sprawiedliwych myśląc sobie, jakiż biedny musi być ten człowiek, któremu tak bezlitośnie zerwali z głowy koronę!)

Tak, przyznaje, bardzo trudno jest zrozumieć, że gdzieś może być inaczej i że zabójstwo monarchy lud uznaje za wyjście najbardziej pożądane i wręcz zesłane przez Boga. Owszem, mieliśmy wspaniałych szachów, takich jak Cyrus i Abbas, ale są to naprawdę odległe czasy. Nasze ostatnie dwie dynastie, żeby zdobyć albo utrzymać tron, rozlały dużo niewinnej krwi. Wyobraź sobie szacha, a nazywał się on Agha Mohammed Khan, który walcząc o tron nakazuje wymordować lub oślepić ludność całego miasta Kerman. Nie czyni żadnego wyjątku, a jego pretorianie zabierają się gorliwie do dzieła. Ustawiają mieszkańców rzędami, dorosłym ścinają głowy, a dzieciom wydłubują oczy. Ale w końcu, mimo zarządzanych odpoczynków, pretorianie są już tak wyczerpani, że nie mają siły unieść miecza ani noża. I tylko dzięki temu znużeniu katów część ludzi ratuje swoje życie i wzrok. Z tego miasta wyruszają potem procesje oślepionych dzieci. Wędrują przez Iran, ale czasem gubią w pustyni drogę i giną z pragnienia. Inne gromady docierają do ludzkich osad i tam proszą o jedzenie śpiewając pieśni o morderstwie miasta Kerman. W tych latach wiadomości rozchodzą się powoli, więc napotkani ludzie są zaskoczeni słuchając chóru bosonogich ślepców, który śpiewa straszliwą opowieść o świszczących mieczach i spadających głowach. Pytają, jakiej to zbrodni dopuściło się miasto, które szach tak bezwzględnie ukarał? Więc na to dzieci śpiewają pieśń o swoim przestępstwie. To przestępstwo polegało na tym, że ich ojcowie udzielili schronienia poprzedniemu szachowi i nowy szach nie mógł im tego wybaczyć. Widok procesji oślepionych dzieci wzbudza powszechną litość i ludzie nie odmawiają im strawy, ale muszą karmić gromadę przybyszów dyskretnie, a nawet potajemnie, gdyż mali ślepcy są ukarani i napiętnowani przez szacha, stanowią więc rodzaj wędrownej opozycji, a wszelkie popieranie opozycji jest w najwyższym stopniu karalne. Stopniowo do tych procesji przyłączają się malcy, którzy stają się przewodnikami oślepionych dzieci. Odtąd wędrują razem poszukując jedzenia i ochrony przed chłodem i zanosząc do najdalszych wsi opowieść o zagładzie miasta Kerman.

Są to, mówi, ponure i okrutne historie, które przechowujemy w naszej pamięci. Szachowie zdobywali tron przemocą, wchodzili na niego po trupach, wśród płaczu matek i jęku konających. Często sprawy naszej sukcesji rozstrzygały się w dalekich stolicach i nowy pretendent do korony wkraczał do Teheranu trzymany za łokcie przez posła brytyjskiego z jednej strony, a rosyjskiego — z drugiej. Takich szachów traktowano jako uzurpatorów i okupantów, a wiedząc o tej tradycji można zrozumieć, dlaczego mułłom udało się rozniecić przeciw nim tyle powstań. Mułłowie mówili — ten, który siedzi w pałacu, jest obcym człowiekiem, słuchającym obcych mocarstw. Ten, który zajmuje tron, jest przyczyną waszych nieszczęść, robi fortunę waszym kosztem i sprzedaje kraj. Ludzie tego słuchali, gdyż słowa mułłów brzmiały dla nich jak prawda najbardziej oczywista. Nie chcę przez to powiedzieć, że mułłowie byli święci. Gdzież tam! Wiele ciemnych sił czaiło się w cieniu meczetów. Ale nadużycia władzy, bezprawie pałacu czyniły z mułłów orędowników sprawy narodowej.

Wraca do losów ostatniego szacha. Wtedy, w Rzymie, w czasie kilkudniowej emigracji zdał sobie sprawę, że może na zawsze utracić tron i powiększyć egzotyczny zastęp wędrownych monarchów. Pod wpływem tej myśli następuje otrzeźwienie. Chce porzucić życie upływające wśród przyjemności i rozrywek. (Szach napisze potem w książce, że w Rzymie pojawił mu się we śnie święty Ali i powiedział — wróć do kraju, aby ratować naród.) Teraz budzi się w nim wielka ambicja i chęć pokazania swojej siły i przewagi. Także ta cecha, mówi, jest bardzo irańska. Jeden Irańczyk nie ustąpi drugiemu, każdy z nich jest przekonany o swojej wyższości, chce być pierwszy i najważniejszy, chce narzucić swoje wyłączne ja. Ja! Ja! Ja wiem lepiej, ja mam więcej, ja mogę wszystko. Świat zaczyna się ode mnie, sam sobie jestem całym światem. Ja! Ja! (Chce mi to pokazać: wstaje, unosi głowę, spogląda na mnie z góry, w spojrzeniu jest wyniosłość, wschodnia, akcentowana duma.) Grupa Irańczyków od razu porządkuje się według zasady hierarchicznej. Ja jestem pierwszy, ty — drugi, a ty ciągle jeszcze trzeci. Ten drugi i trzeci nie poprzestają na swoim, ale natychmiast zabiegają, intrygują, manewrują, żeby zająć miejsce pierwszego. Ten pierwszy musi dobrze okopać się, aby nie być strąconym ze szczytu.

Okopać się i wystawić karabiny maszynowe!

Podobne reguły panują chociażby w rodzinie. Ponieważ muszę być wyższością, kobieta ma być niższością. Poza domem mogę być niczym, ale pod własnym dachem otrzymuję rekompensatę — tutaj jestem wszystkim. Tu moja władza jest niepodzielna, a jej zasięg i powaga tym większa, im bardziej liczna jest rodzina. Dobrze jest mieć dużo dzieci, wówczas jest nad kim panować, człowiek staje się władcą domowego państwa, budzi respekt i podziw, decyduje o losach podwładnych, rozstrzyga spory, narzuca swoją wolę, rządzi. (Patrzy, jakie zrobiło na mnie wrażenie to, co powiedział przed chwilą. Otóż stanowczo protestuję. Jestem przeciwko takim stereotypom. Znam wielu jego rodaków skromnych i uprzejmych, nie odczuwałem, żeby traktowali mnie jak niższego.) Wszystko prawda, zgadza się, ale to dlatego, że nam nie zagrażasz. Nie bierzesz udziału w naszej grze, która polega na tym, kto wyżej postawi swoje ja. Z powodu tej gry nigdy nie można było utworzyć żadnej solidnej partii, bo zaraz zaczynały się kłótnie o przywództwo, każdy wolał zakładać własną partię. Ale teraz, po powrocie z Rzymu, również szach przystępuje z całą stanowczością do gry o wyższe ja.

Przede wszystkim, mówi, stara się odzyskać twarz, gdyż utrata twarzy jest w naszym obyczaju wielką hańbą. Monarcha, ojciec narodu, który w najbardziej krytycznym momencie ucieka z kraju i chodzi po sklepach kupując swojej żonie biżuterię! Nie, to wrażenie musiał jakoś zatrzeć. Dlatego, kiedy Zahedi depeszuje do niego, że czołgi zrobiły swoje, i zachęca go do powrotu zapewniając, że niebezpieczeństwo minęło, szach zatrzymuje się w Iraku i tam fotografuje się trzymając rękę na grobie kalifa Ali, patrona szyitów. Tak, nasz święty posyła go z powrotem na tron, daje mu błogosławieństwo.

Gest religijny — oto czym można pozyskać sobie nasz naród.

Więc szach wraca, ale w kraju ciągle nie ma spokoju. Studenci strajkują, ulica manifestuje, strzelanina, pogrzeby. W samej armii konflikty, spiski i waśnie. Szach boi się wychodzić z pałacu, zbyt wielu ludzi czyha na jego głowę. Żyje w otoczeniu rodziny, dworzan i generałów. Teraz, po usunięciu Mossadegha, Waszyngton zaczyna przysyłać dużo pieniędzy, połowę tego kapitału szach przeznacza na wojsko, coraz bardziej będzie stawiać na armię, otaczać się armią. (Zresztą tak samo postępują władcy w innych monarchiach, które istnieją w krajach podobnych do Iranu. Monarchie te są obsypaną złotem i diamentami formą dyktatury militarnej.)

A więc żołnierze dostają już mięso i chleb. Musisz pamiętać, jak biednie żyją nasi ludzie i co to znaczy, że żołnierz ma mięso i chleb, jak to wynosi go ponad innych.

W tamtych latach widziało się dzieci o wielkich rozdętych brzuchach: żywiły się trawą.

Pamiętam człowieka, który swojemu dziecku przypalał papierosem powiekę. Od tego całe oko puchło i ropiało, twarz wyglądała strasznie. Ten człowiek smarował sobie rękę jakimś mazidłem, tak że ręka robiła się nabrzmiała i czarna. W ten sposób chciał wzbudzać litość, żeby ktoś dał im jeść. Jedyną zabawką mojego dzieciństwa były kamienie. Ciągnąłem kamień na sznurku — byłem koniem, a kamień złoconym powozem szacha.

Teraz, mówi po chwili, nastąpi dwadzieścia pięć lat, w czasie których szach będzie umacniać swoją władzę. Ma bardzo trudne początki i wielu ludzi nie wierzy, że utrzyma się przez dłuższy czas. Amerykanie uratowali mu tron, ale nie są jeszcze pewni, czy zrobili najlepszy wybór. Szach garnie się do Amerykanów, ponieważ potrzebuje ich poparcia, nie czuje się silny we własnym kraju. Bez przerwy jeździ do Waszyngtonu, przebywa tam tygodniami, rozmawia, przekonuje i daje zapewnienia. Ale inni też jeżdżą i dają zapewnienia. Zaczyna się wyścig naszej elity do Ameryki, licytacja ofert i gwarancji, wyprzedaż kraju.

Już mamy państwo policyjne, powstaje Savak. Pierwszym szefem Savaku będzie wujek Sorayi — generał Bakhtiar. Z czasem szach zacznie obawiać się, że wujek, który jest człowiekiem silnym i zdecydowanym, dokona przewrotu i pozbawi go władzy. Dlatego wkrótce usunął generała, a następnie kazał zastrzelić.

Panuje klimat czystki, strachu, terroru. Nikt nie jest pewien swojego losu. Nie ma spokoju, pachnie prochem, pachnie rewolucją. W Iranie nigdy nie ma spokoju, nad tym krajem zawsze wisi czarna chmura.

Z notatek (4)

Prezydent Kennedy zachęca szacha, aby przeprowadzał reformy. Kennedy apeluje do monarchy (a także do innych zaprzyjaźnionych dyktatorów), aby się unowcześniali i reformowali swoje kraje, gdyż w przeciwnym wypadku grozi im los Fulgencio Batisty (Ameryka jest w tym czasie — rok 1961 — pod świeżym wrażeniem zwycięstwa Fidela Castro i nie chce, aby podobna historia powtórzyła się w innych krajach.) Kennedy sądzi, że tej przykrej perspektywy da się uniknąć, jeżeli dyktatorzy przeprowadzą jakieś reformy i poczynią ustępstwa, które wytrącą broń z rąk agitatorów nawołujących do czerwonych rewolucji.

W odpowiedzi na apele i perswazje Waszyngtonu szach ogłasza swoją Białą Rewolucję. Można sądzić, że Mohammed Reza dostrzegł w myśli prezydenta Stanów Zjednoczonych istotne dla siebie korzyści. Chciał, mianowicie, osiągnąć dwie rzeczy (niestety, niemożliwe do przeprowadzenia) — umocnić swoją władzę i zwiększyć swoją popularność.

Szach należał do ludzi, dla których pochwały, zachwyty, uwielbienie i poklask są potrzebą życia, środkiem wzmacniającym ich słabe, niepewne siebie, a zarazem próżne natury. Bez tej wznoszącej ich ciągle fali nie mogą istnieć ani działać. Irański monarcha musi stale czytać o sobie najlepsze słowa, oglądać swoją fotografię na pierwszej stronie gazet, na ekranie telewizora, nawet na okładkach zeszytów szkolnych. Musi zawsze widzieć twarze promieniejące na jego widok, bez przerwy słuchać słów uznania i podziwu. Cierpi albo złości się, jeżeli w tej hosannie (a musiała ona rozlegać się na całym świecie) usłyszy jakiś drażniący jego ucho ton, pamięta o nim latami. Wie o tej słabości cały dwór i dlatego jego ambasadorzy zajmują się głównie tępieniem najlżejszych słów krytyki, nawet gdyby odezwały się one w krajach tak mało znaczących, jak Togo czy Salwador, albo były wypowiedziane w tak niedostępnych językach jak Zandi czy Oromo. Natychmiast zaczynały się protesty i oburzenie, zrywanie stosunków i kontaktów. To zapalczywe i nawet obsesyjne ściganie po świecie wszelkich sceptyków sprawiło, że świat ów (poza rzadkimi wyjątkami) nie wiedział, co w gruncie rzeczy dzieje się w Iranie, ponieważ ten kraj tak trudny, tak bolesny, tak dramatyczny, tak krwawiący był mu przedstawiany jako tort imieninowy oblany różowym lukrem. Być może działał tu mechanizm rekompensaty — szach szukał w świecie tego, czego nie mógł znaleźć we własnym kraju: uznania, poklasku. Nie był popularny, nie otaczało go ciepło. W jakiś sposób musiał to odczuwać.

I oto nadarza się okazja, aby ogłaszając reformę rolną bodaj pozyskać wieś, zjednać dla siebie chłopów rozdając im ziemię. Czyją ziemię? Majątki ziemskie ma szach, feudałowie i duchowieństwo. Jeżeli feudałowie i duchowieństwo utracą ziemię, ich władza w terenie osłabnie. Na wsi umocni się państwo, a tym samym umocni się szach. To proste. Ale nic nie jest proste w tym, co robi szach. Działania szacha cechuje pokrętność i połowiczność. Okazuje się, że feudałowie mają oddać ziemię, ale dotyczy to tylko części feudałów i części ich ziem (a wszystko za sowitym wykupem). Że ziemię otrzymują chłopi, ale tylko część chłopów i to tych, którzy już ją mają (a większość nie posiada żadnej roli).

Szach zaczyna od własnego przykładu i ogłasza, że odstępuje swoje majątki. Jeździ i rozdaje chłopom akty własności. Widzimy go na zdjęciach, jak stoi, dobroczyńca, z naręczem rulonów papieru (są to owe akty własności), a chłopi klęczą i całują go w buty.

Rychło jednak wybucha skandal!

Otóż jego ojciec, wykorzystując posiadaną władzę, przywłaszczył sobie wiele majątków feudalnych i kościelnych. Po odejściu ojca parlament uchwalił, że ziemie te, które Reza Khan posiadł nielegalnie, muszą być zwrócone właścicielom. I teraz jego syn oddaje jako własne te ziemie, które mają przecież prawowitych posiadaczy, i na domiar bierze za wszystko duże pieniądze, ogłaszając się jednocześnie wielkim reformatorem.

Gdyby tylko to! Ale szach, orędownik postępu, zabiera ziemię meczetom. Jest przecież reforma, wszyscy muszą ponosić ofiary, aby poprawić dolę chłopa. Pobożni muzułmanie, zgodnie z nakazem Koranu, od lat zapisują meczetom część swoich posiadłości. Majątki, które należą do meczetów, są wielkie i dobrze, że szach pomyślał, aby oskubać mułłów i polepszyć los wiejskiej biedoty. Niestety, rychło porusza opinię nowy skandal. Okazuje się, że te ziemie, obcięte kościołowi pod wzniosłymi hasłami reformy, monarcha rozdał swoim najbliższym — generałom, pułkownikom, dworskiej kamaryli. Kiedy wiadomość o tym przedostała się do ludzi, wywołała taki gniew, że wystarczyło dać sygnał, aby wybuchła kolejna rewolucja.

Z notatek (5)

Każdy pretekst, mówi, był dobry, żeby wystąpić przeciw szachowi. Ludzie chcieli pozbyć się szacha, próbowali swoich sił, jeżeli zdarzyła się okazja. Przejrzeli jego grę i powstało wielkie oburzenie. Rozumieli, że chce się umocnić, a tym samym utrwalić dyktaturę, i nie mogli do tego dopuścić. Rozumieli, że Biała Rewolucja jest im narzucona z góry, że ma cel ściśle polityczny, korzystny dla szacha i dla nikogo więcej. Teraz wszyscy zaczęli spoglądać w stronę Qom. Tak było w naszej historii, że ilekroć powstawało niezadowolenie i kryzys, ludzie zaczynali nasłuchiwać, co powie Qom. Skąd zawsze wychodził pierwszy sygnał.

A Qom już grzmiało.

Bo jeszcze dołączyła się inna sprawa. W tym czasie szach przyznał wszystkim wojskowym amerykańskim i ich rodzinom prawo nietykalności dyplomatycznej. W naszej armii było już wówczas wielu amerykańskich ekspertów. I mułłowie podnieśli głos, że ta nietykalność jest przeciwna zasadzie suwerenności. Wtedy to po raz pierwszy Iran usłyszał ajatollacha Chomeiniego. Wcześniej nie był nikomu znany, to znaczy nikomu poza ludźmi z Qom. Miał już wówczas ponad sześćdziesiąt lat i biorąc pod uwagę różnicę wieku mógł być ojcem szacha. Później często zwracał się do niego mówiąc — synu, ale oczywiście z ironicznym i gniewnym akcentem. Chomeini wystąpił przeciw szachowi używając słów najbardziej bezwzględnych. Ludzie, wołał, nie wierzcie mu, to nie jest wasz człowiek! On nie myśli o was, tylko o sobie i o tych, którzy wydają mu rozkazy. On sprzedaje nasz kraj, sprzedaje nas wszystkich! Szach musi odejść! Policja aresztuje Chomeiniego. W Qom zaczynają się manifestacje. Ludzie domagają się jego uwolnienia. Następnie ruszają inne miasta — Teheran, Tebriz, Meszched, Isfahan. Wówczas szach wyprowadza na ulicę wojsko i zaczyna się rzeź (wstaje, wyciąga przed siebie ręce i ściska dłonie, jakby trzymał rękojeść cekaemu. Mruży prawe oko i wydaje głos naśladujący łoskot tej broni). To był czerwiec 1963, mówi. Powstanie trwało pięć miesięcy. Przewodzili mu demokraci z partii Mossadegha i duchowni. Kilkanaście tysięcy zabitych i rannych. Potem przez kilka lat cisza cmentarna, ale nigdy cisza zupełna, bo zawsze były jakieś bunty i walki. Chomeini zostaje wyrzucony z kraju i osiada w Iraku, w Nadżaf, w największym mieście szyitów, tam gdzie jest grób Kalifa Ali.

Teraz zastanawiam się, co właściwie stworzyło Chomeiniego? Przecież w tym czasie było wielu ważniejszych i bardziej znanych ajatollachów, a także wybitnych polityków przeciwnych szachowi. Wszyscy pisaliśmy protesty, manifesty, listy i memoriały. Czytała je mała grupa inteligentów, bo nie można było tego legalnie drukować, poza tym większość społeczeństwa nie umie czytać. Krytykowaliśmy szacha, mówiliśmy, że jest źle, domagaliśmy się zmian i reform, większej demokracji i sprawiedliwości. Nikomu nie przychodziło do głowy postąpić tak, jak Chomeini — to znaczy odrzucić całą pisaninę, wszystkie petycje, rezolucje i postulaty. Odrzucić, stanąć przed ludźmi i zawołać — szach musi odejść!

To było właściwie wszystko, co powiedział wówczas Chomeini i co powtarzał przez piętnaście lat. Najprostsza rzecz, którą każdy mógł zapamiętać, ale trzeba było tych piętnastu lat, aby każdy mógł to również zrozumieć. Ponieważ instytucja monarchii była czymś tak oczywistym jak powietrze i nikt nie umiał wyobrazić sobie bez niej życia.

Szach musi odejść!

Nie dyskutujcie, nie gadajcie, nie naprawiajcie, nie zbawiajcie. To nie ma sensu, to niczego nie zmieni, to próżny wysiłek, to złudzenie. Dalej możemy iść tylko po gruzach monarchii, innej drogi nie ma.

Szach musi odejść!

Nie czekajcie, nie zwlekajcie, nie śpijcie.

Szach musi odejść!

Kiedy powiedział to po raz pierwszy, zabrzmiało to jak wołanie maniaka, jak krzyk szaleńca. Jeszcze monarchia nie wyczerpała wszystkich możliwości przetrwania. Ale sztuka powoli dobiegała końca, zbliżał się epilog. I wtedy wszyscy przypomnieli sobie, co mówił Chomeini, i poszli za nim.

Fotografia (8)

Zdjęcie to przedstawia grupę ludzi, która na jednej z ulic Teheranu stoi na przystanku autobusowym. Na całym świecie ci, którzy oczekują na autobus, wyglądają podobnie, to znaczy mają ten sam apatyczny i zmęczony wyraz twarzy, tę samą postawę odrętwienia i kapitulacji, to samo zmętnienie i niechęć w spojrzeniu. Człowiek, który kiedyś dał mi tę fotografię, zapytał, czy widzę na niej coś szczególnego. Nie, odparłem po namyśle, nic takiego nie widzę. Powiedział na to, że zdjęcie zostało zrobione z ukrycia, z okna po przeciwnej stronie ulicy. Mam zwrócić uwagę, mówił pokazując mi fotografię, na faceta (wygląd urzędnika niższej rangi, żadnych znaków szczególnych), który stoi blisko trzech rozmawiających mężczyzn i ma ucho wycelowane w ich stronę. Ten facet był z Savaku i pełnił zawsze dyżur na tym przystanku, podsłuchiwał ludzi, którzy czekając na autobus rozmawiali czasem o tym i owym. Treść tych rozmów była zawsze byle jaka. Ludzie mogli mówić tylko o rzeczach obojętnych, ale nawet poruszając sprawy obojętne należało wybrać taki temat, aby policji trudno było dopatrzeć się w nim znaczącej aluzji. Savak był wrażliwy na wszelkie aluzje. Kiedyś w upalne południe przyszedł na przystanek starszy, chory na serce mężczyzna i powiedział z westchnieniem — jest tak duszno, że nie ma czym oddychać. No właśnie, podchwycił zaraz ten dyżurujący Savakowiec przysuwając się do znużonego przybysza, robi się coraz duszniej, ludziom brakuje powietrza. Oj, to prawda, potwierdził starszy, naiwny człowiek trzymając się za serce, takie ciężkie powietrze i ta straszna duchota! W tym momencie Savakowiec zesztywniał i powiedział sucho — zaraz pan odzyska siły. I nie mówiąc nic więcej zaprowadził go do aresztu. Obecni na przystanku ludzie przysłuchiwali się wszystkiemu ze zgrozą, ponieważ od początku ocenili, że starszy, schorowany człowiek popełnia niewybaczalny błąd używając w rozmowie z kimś obcym słowa — duszno. Doświadczenie uczyło ich, iż należy unikać głośnego wymawiania słów w rodzaju duszność, ciemność, ciężar, przepaść, zapaść, bagno, rozkład, klatka, krata, łańcuch, knebel, pałka, but, brednia, śruba, kieszeń, łapa, obłęd, a także czasowników z rzędu — położyć się, leżeć, rozkraczyć się, upaść (na głowę), marnieć, słabnąć, ślepnąć, głuchnąć, pogrążać się, a nawet takich zwrotów (zaczynających się od zaimka coś) jak — coś tu kuleje, coś tu nie gra, coś to nie tak, coś tu trzaśnie, bo wszystkie one, te rzeczowniki, czasowniki, przymiotniki i zaimki, mogły stanowić aluzję do reżimu szacha, a więc były semantycznym polem minowym, na które wystarczyło wdepnąć, żeby wylecieć w powietrze. Przez moment (ale trwał on krótko) w ludziach stojących na przystanku zrodziła się następująca wątpliwość — czy aby ten schorowany też nie jest Savakowcem? Bo skoro skrytykował reżim (przez to, że w rozmowie użył słowa — duszno), czy nie oznacza to, że wolno mu było krytykować? Przecież gdyby nie miał do tego uprawnień, zachowałby milczenie albo mówił o rzeczach przyjemnych, na przykład o tym, że świeci słońce i autobus na pewno nadjedzie. A kto miał uprawnienia do krytyki? Tylko Savakowcy, którzy prowokowali w ten sposób nieostrożnych gadułów i prowadzili ich potem do więzienia. Wszechobecny strach pomieszał ludziom w głowach i taką rozbudził podejrzliwość, że przestali wierzyć w uczciwość, w czystość i w odwagę innych. Przecież sami uważali się za uczciwych, a jednak nie mogli zdobyć się na wyrażenie sądu, na żaden rodzaj oskarżenia wiedząc, jak bezwzględna czeka za to kara. Jeżeli więc ktoś atakował i potępiał monarchę, sądzili że musiał być chroniony szczególnym przywilejem i działać w złej intencji: chciał wykryć tych, którzy mu przytakną, żeby potem ich zniszczyć. Im ostrzej i trafniej wyrażał skrywane przez nich poglądy, tym bardziej wydawał się podejrzany i tym gwałtowniej odsuwali się od niego, przestrzegając najbliższych — bądźcie ostrożni, to niepewny facet, jakoś zbyt śmiało sobie poczyna. W ten sposób strach odnosił swój triumf — z góry skazywał na nieufność i potępienie tych, którzy działając z najlepszych pobudek chcieli przeciwstawić się przemocy. Doprowadzał umysły do takiego zwyrodnienia, że gotowe były upatrywać w śmiałości — podstęp, w odwadze — kolaborację. Tym razem jednak, widząc, w jak brutalny sposób Savakowiec prowadzi swoją ofiarę, ludzie z przystanku uznali, że ów schorowany człowiek nie mógł mieć związków z policją. Wkrótce zresztą obaj zniknęli im z oczu, ale pytanie — dokąd poszli? musiało pozostać bez odpowiedzi. Nikt bowiem nie wiedział, gdzie właściwie mieścił się Savak. Savak nie miał żadnej kwatery głównej, był rozproszony w całym mieście (i w całym kraju), był wszędzie i nigdzie. Zajmował nie zwracające niczyjej uwagi kamienice, wille i mieszkania. Nie było tam żadnych napisów albo wisiały tablice nie istniejących firm i instytucji. Numery telefonów były znane tylko wtajemniczonym. Savak mógł zajmować pokoje w zwykłym bloku mieszkalnym albo wchodziło się do jego biur śledczych przez jakiś sklep, pralnię lub nocny lokal. W tych warunkach wszystkie ściany mogły mieć uszy, a wszystkie drzwi, furtki i bramy prowadzić do pomieszczeń Savaku. Kto wpadł w ręce tej policji, na długo (albo na zawsze) znikał bez śladu. Znikał nagle, nikt nie wiedział, co się z nim stało, gdzie go szukać, gdzie pójść, kogo pytać, kogo błagać o litość. Być może zamknęli go w jednym z więzień, ale w którym? Było ich sześć tysięcy. Przebywało w nich stale, jak twierdziła opozycja, sto tysięcy więźniów politycznych. Naprzeciw ludzi wyrastała niewidoczna, ale nieustępliwa ściana, przed którą stali bezradni, nie mogąc zrobić kroku naprzód. Iran był państwem Savaku, ale Savak działał w nim jak organizacja podziemna, pojawiał się i znikał, zacierał za sobą trop, nie miał adresu. A jednocześnie różne jego komórki istniały oficjalnie. Savak cenzurował prasę, książki i filmy. (Właśnie Savak zakazał wystawiać Szekspira i Moliera, ponieważ ich sztuki krytykują przywary monarchów.) Savak rządził na uczelniach, w urzędach i fabrykach. Był to potwornie rozrośnięty głowonóg, który wszystko oplątał, wpełzał do każdego zakamarka, wszędzie przylepiał swoje przyssawki, myszkował, węszył, skrobał, wiercił. Savak miał sześćdziesiąt tysięcy agentów. Miał też, jak obliczają, trzy miliony informatorów, którzy donosili z różnych powodów — żeby zarobić, żeby się ratować, żeby otrzymać pracę czy dostać awans. Savak kupował ludzi albo skazywał ich na tortury, dawał stanowiska albo strącał do lochów. Ustalał, kto jest wrogiem, a tym samym — kogo trzeba zniszczyć. Taki wyrok nie podlegał rewizji, nie było od niego apelacji. Jedynie szach mógłby ocalić skazańca. Savak odpowiadał tylko przed szachem, ci, którzy stali poniżej monarchy, byli wobec policji bezsilni. O tym wszystkim wiedzą ludzie zgromadzeni na przystanku i dlatego po zniknięciu Savakowca i chorego człowieka nadal milczą. Kątem oka jedni spoglądają na drugich — nikt nie jest pewien, czy ten, kto stoi obok, nie będzie musiał donieść. Może właśnie wraca z rozmowy, w której powiedzieli mu, że gdyby tak czasem coś zauważył, coś usłyszał i gdyby o tym powiadomił, jego syn dostałby się na studia. Albo gdyby tak coś zauważył i usłyszał, skreślą mu z papierów uwagę, że jest w opozycji. Toć przecież nie jestem w opozycji! — broni się tamten. Jesteś, mamy zapisane, że jesteś. Mimo woli (choć niektórzy starają się to ukryć, żeby nie sprowokować wybuchu agresji) ci z przystanku patrzą na siebie z obrzydzeniem i nienawiścią. Są skłonni do neurotycznych, nadmiernych reakcji. Coś ich drażni, źle im pachnie, odsuwają się od siebie, wyczekują, kto kogo pierwszy dopadnie, kto na kogo pierwszy się rzuci. Ta wzajemna nieufność, to skutek działania Savaku, który latami naszeptuje każdemu, że wszyscy są w Savaku. Ten, ten, ten i tamten. Tamten też? Tamten? Oczywiście, że tak. Wszyscy! Ale z drugiej strony, może ci na przystanku to porządni ludzie i ich wewnętrzne wzburzenie, które muszą przykryć milczeniem i kamienną miną, wzięło się stąd, że przez chwilę odczuli gwałtowny przypływ strachu spowodowany tym, iż tak blisko otarli się o Savak i że przecież, gdyby tylko na moment zawiódł ich instynkt i zaczęli rozmowę na jakiś dwuznaczny temat, powiedzmy o rybach, na przykład, że w tym upale ryby szybko się psują, a mają one przedziwną właściwość, bo kiedy taka bestia zaczyna się psuć, to najpierw od głowy, pierwsza im głowa śmierdzi, ona cuchnie najbardziej i trzeba ją od razu uciąć, jeśli chce się ratować resztę, więc gdyby jakiś tego rodzaju temat kuchenny nieopatrznie poruszyli, mogliby podzielić nieszczęsny los trzymającego się za serce człowieka. Ale na razie są ocaleni, są uratowani i stoją dalej na przystanku ocierając teraz pot i wachlując mokre koszule.

Z notatek (6)

Whisky sączona w warunkach konspiracji (a rzeczywiście trzeba konspirować się, obowiązuje przecież prohibicja nakazana przez Chomeiniego), jak każdy zakazany owoc, ma dodatkowy, pociągający smak. Jednakże w szklankach jest zaledwie po kilka kropel płynu — gospodarze wyciągnęli głęboko ukrytą, ostatnią butelkę, a wiadomo, że następnej nie będzie już gdzie kupić. W tych dniach umierają ostatni alkoholicy, jacy istnieli w tym kraju. Nie mogąc nigdzie kupić wódki, wina, piwa itd., wlewają w siebie jakieś rozpuszczalniki i w ten sposób kończą życie.

Siedzimy na parterze małej, ale wygodnej i zadbanej willi, przez rozsunięte szklane drzwi widać ogródek i zaraz mur oddzielający posesję od ulicy. Ten mur, wysoki na trzy metry, zwiększa obszar intymności, stanowi jakby ściany domu zewnętrznego, w który wbudowany został mieszkalny dom wewnętrzny. Oboje gospodarze mają około czterdziestki, kończyli studia w Teheranie i pracują w jednym z biur podróży (których — zważywszy na szaloną ruchliwość ich rodaków — są tutaj setki).

— Od kilkunastu lat jesteśmy małżeństwem — mówi gospodarz, którego włosy zaczyna już bielić siwizna — ale dopiero teraz, po raz pierwszy, rozmawiamy z żoną o polityce. Nigdy nie mówiliśmy z sobą na te tematy. Podobnie było we wszystkich znanych mi domach.

Nie, nie chce przez to powiedzieć, żeby nie mieli do siebie zaufania. Nigdy też nie zawierali w tej sprawie żadnego porozumienia. Była to milcząca umowa, którą przyjęli zgodnie i niemal podświadomie, a wynikała ona z pewnej realistycznej refleksji nad ludzką naturą, z tej mianowicie, że nigdy nie wiadomo, jak zachowa się człowiek w sytuacji skrajnej. Do czego może być zmuszony, do jakiego oszczerstwa, do jakiej zdrady.

— Nieszczęście polega na tym — odzywa się pani domu, mimo panującego półmroku widać dokładnie jej duże, błyszczące oczy — że nikt nie wie zawczasu, w jakim stopniu wytrzyma tortury. Czy w ogóle potrafi je znieść. A Savak to były przede wszystkim najstraszniejsze tortury. Ich metoda polegała na tym, że porywali człowieka idącego ulicą, zawiązywali mu oczy i o nic nie pytając wieźli prosto na salę tortur. Tam od razu zaczynała się cała makabra — łamanie kości, wyrywanie paznokci, wsadzanie rąk do pieca, piłowanie na żywo czaszki, dziesiątki innych okrucieństw, i dopiero kiedy oszalały z bólu człowiek zmieniał się w roztrzaskany, skrwawiony wrak, przystępowali do ustalania, kim on jest. Imię? Nazwisko? Adres? Co mówiłeś o szachu? Mów, co mówiłeś? A wie pan, on mógł nic nie mówić, to mógł być zupełnie niewinny człowiek. Niewinny? To nic, że niewinny. W ten sposób wszyscy będą się bali, winni i niewinni, wszyscy będą zastraszeni, nikt nie poczuje się bezpieczny. Na tym polegał terror Savaku, że mogli uderzyć w każdego, że wszyscy byliśmy oskarżeni, ponieważ oskarżenie nie dotyczyło uczynków, ale intencji, jakie Savak mógł każdemu przypisać. Byłeś przeciw szachowi? Nie, nie byłem. To chciałeś być — kanalio! I to wystarczało.

— Czasem robili procesy. Dla politycznych (ale kto to jest polityczny? tu wszystkich uważali za politycznych) były tylko sądy wojskowe. Zamknięte sesje, żadnej obrony, żadnych świadków i od razu wyrok. Potem odbywały się egzekucje. Czy ktoś policzy, ilu ludzi rozstrzelał Savak? Na pewno setki. Nasz wielki poeta Khosrow Golesorkhi został rozstrzelany. Nasz wielki reżyser Keramat Denachian został rozstrzelany. Dziesiątki pisarzy, profesorów i artystów siedziało w więzieniu. Dziesiątki innych musiało chronić się na emigracji. Savak składał się z niesłychanie ciemnych i brutalnych mętów i jeśli dostali w ręce kogoś, kto miał zwyczaj czytywać książki, znęcali się nad nim szczególnie.

— Myślę, że Savak nie lubił procesów i trybunałów. Woleli inną metodę, najczęściej zabijali z ukrycia. Potem nie można było niczego ustalić. Kto zabił? Nie wiadomo. Gdzie są winni? Nie ma winnych.

— Ludzie nie mogli dłużej wytrzymać takiego terroru i dlatego z gołymi rękami rzucili się na armię i policję. Można nazwać to desperacją, ale nam było już wszystko jedno. Cały naród wystąpił przeciw szachowi, bo dla nas Savak to był szach, jego uszy, oczy i ręce.

— Wie pan, kiedy mówiło się o Savaku, po godzinie człowiek patrzył na swojego rozmówcę i zaczynał myśleć — a może on także jest z Savaku? Była to bardzo uporczywa myśl, która pozostawała długo w głowie. A tym rozmówcą mógł być mój ojciec, mój mąż, moja najlepsza przyjaciółka. Mówiłam do siebie — opanuj się, to przecież nonsens, ale nic nie pomagało, ta myśl ciągle wracała. To wszystko było chore, cały reżim był chory i szczerze pewien, że nie mam pojęcia, kiedy będziemy zdrowi, to znaczy kiedy odzyskamy równowagę. Po latach takiej dyktatury jesteśmy psychicznie przetrąceni i myślę, że długo potrwa, nim zaczniemy żyć normalnie.

Fotografia (9)

To zdjęcie wisiało obok haseł, odezw i kilku innych fotografii na tablicy ogłoszeń stojącej przed budynkiem komitetu rewolucyjnego w Shirazie. Poprosiłem jakiegoś studenta, żeby przetłumaczył mi ręcznie napisane objaśnienie, przyczepione pinezkami pod zdjęciem. Tutaj jest napisane, powiedział, że ten chłopczyk ma trzy lata, nazywa się Habib Fardust i że był więźniem Savaku. Jak to — więźniem? spytałem. Odpowiedział, że były wypadki, kiedy Savak wsadzał całe rodziny, i tu chodzi o taki wypadek. Przeczytał podpis do końca i dodał, że rodzice tego chłopca zginęli od tortur. Wydają teraz dużo książek na temat zbrodni Savaku, różnych dokumentów policyjnych i relacji tych, którzy przeżyli tortury. Widziałem nawet, co było dla mnie najbardziej wstrząsające, sprzedawane przed uniwersytetem kolorowe pocztówki przedstawiające zmasakrowane ciała ofiar Savaku. Wszystko jak za czasów Timura, od sześciuset lat żadnej zmiany, to samo patologiczne okrucieństwo, może nieco bardziej zmechanizowane. Najczęściej spotykanym narzędziem, które znajdowało się w lokalach Savaku, był podgrzewany elektrycznie żelazny stół zwany patelnią, na który kładziono ofiarę przywiązując jej ręce i nogi. Wielu ludzi ginęło na tych stołach. Często nim wprowadzono oskarżonego na salę, był on już osobą o pomieszanych zmysłach, ponieważ oczekując swojej kolejki nie wytrzymywał rozlegającego się krzyku i swądu palonego ciała. Ale w tym świecie koszmaru postęp techniczny nie zdołał wyprzeć starych, średniowiecznych sposobów. W więzieniach Isfahanu wrzucano ludzi do dużych worków, w których kotłowały się oszalałe z głodu dzikie kocury albo jadowite węże. Opowieści o tych historiach, niekiedy świadomie rozgłaszane przez samych Savakowców, krążyły latami w społeczeństwie, przyjmowane z tym większą zgrozą, że wobec płynnej i arbitralnej definicji wroga każdy mógł wyobrazić sobie, że znajduje się w sali takich tortur. Dla tych ludzi Savak był siłą nie tylko okrutną, ale również obcą, był okupantem, lokalną odmianą gestapo.

W dniach rewolucji manifestanci idący ulicami Teheranu śpiewają pełną ekspresji i patosu pieśń — Allah Akbar, w której kilka razy powtarza się refren:

Iran, Iran, Iran
Chun-o-marg-o-osjan.
(Iran, Iran, Iran,
to krew, śmierć i bunt.)

Jest to tragiczna, ale być może najbardziej trafna definicja Iranu. Od wielu stuleci i bez żadnych wyraźnych przerw.

W tym wypadku daty są ważne. We wrześniu 1978, na cztery miesiące przed swoim odejściem, szach udziela wywiadu korespondentowi tygodnika „Stern". Mija właśnie dwadzieścia lat od chwili, kiedy szach powołał do istnienia i działania Savak.

„Jaka jest liczba więźniów politycznych w Iranie?

Szach: — Co pan rozumie przez więźniów politycznych? Ale domyślam się, o co panu chodzi, mniej niż tysiąc.

Czy jest pan pewien, że żaden z nich nie był torturowany? Szach: — Właśnie wydałem polecenie, aby wstrzymać tortury".

Fotografia (10)

Zdjęcie zrobione w Teheranie 23 grudnia 1973: szach, otoczony zaporą mikrofonów, przemawia na sali wypełnionej tłumem dziennikarzy. Mohammed Reza, którego zwykle cechują staranne maniery i wystudiowana powściągliwość, tym razem nie umie ukryć swojej emocji, swojego przejęcia, a nawet — notują to reporterzy — rozgorączkowania. W istocie, chwila jest ważna i brzemienna w skutki dla całego świata, gdyż szach ogłasza właśnie nowe ceny ropy naftowej. W niespełna dwa miesiące cena ropy wzrosła czterokrotnie i Iran, któremu eksport tego surowca przyniósł pięć miliardów dolarów rocznego dochodu, teraz będzie ich otrzymywać dwadzieścia. Dodajmy, że jedynym dysponentem tej gigantycznej masy pieniędzy będzie sam szach. W swoim jedynowładczym królestwie może on z nimi zrobić, co chce — może wrzucić je do morza, wydać na lody albo zamknąć w złotej szkatule. Trudno więc dziwić się ekscytacji, jakiej w tym momencie ulega monarcha, gdyż nikt z nas nie wie, jakby zachował się, gdyby nagle znalazł w kieszeni dwadzieścia miliardów dolarów, a ponadto wiedział, że co roku będzie przybywać mu następnych dwadzieścia, a potem nawet więcej. I trudno dziwić się, że z szachem stało się to, co się stało, to znaczy, że stracił głowę. Miast zebrać rodzinę, wiernych generałów i zaufanych doradców, aby wspólnie zastanowić się, jak spożytkować rozsądnie taki majątek, szach, któremu — jak twierdzi — objawiła się nagle świetlana wizja, ogłasza wszystkim, że w ciągu jednego pokolenia uczyni z Iranu (który jest krajem zacofanym, nie urządzonym, w połowie analfabetycznym i bosonogim) piąte mocarstwo świata. Zarazem monarcha rzuca pociągające hasło dobrobytu dla wszystkich, które rozbudza w ludziach wielkie nadzieje. Z początku nie wydają się im one tak całkowicie płonne, gdyż wszyscy wiedzą, że szach dostał naprawdę duże pieniądze.

W kilka dni po konferencji prasowej, którą oglądamy na fotografii, monarcha udziela wywiadu wysłannikowi tygodnika „Spiegel", któremu mówi:

— Za dziesięć lat będziemy żyć na tym samym poziomie, na jakim żyjecie wy Niemcy, Francuzi, Anglicy.

— Czy myśli pan — pyta z niedowierzaniem wysłannik — że uda się to zrobić w ciągu dziesięciu lat?

— Tak, oczywiście.

— Ależ — mówi oszołomiony korespondent — Zachód potrzebował wielu generacji, aby osiągnąć swój obecny poziom! Czy będzie pan w stanie to przeskoczyć?

— Oczywiście.

Myślę o tym wywiadzie teraz, gdy szacha nie ma już w Iranie i kiedy brnę w nieprawdopodobnym błocie i gnoju wśród nędznych lepianek małej wioski pod Shirazem, otoczony gromadą półnagich i zziębniętych dzieci, a przed jedną z chat jakaś kobieta lepi z bydlęcego nawozu okrągłe placki, które (w tym kraju nafty i gazu!) po wysuszeniu będą służyć w domu za jedyny opał; otóż kiedy idę tak przez ową smutną, średniowieczną wieś i wspominam ten wywiad, od którego minęło już kilka lat, przychodzi mi do głowy najbanalniejsza ze wszystkich refleksja, ta mianowicie, że nie ma takiego nonsensu, którego umysł ludzki nie byłby zdolny wymyślić.

Na razie jednak szach zamyka się w pałacu, skąd wydaje setki decyzji, które wstrząsną Iranem, a po pięciu latach jego samego doprowadzą do klęski. Nakazuje podwoić wydatki na inwestycje, rozpocząć wielki import technologii i stworzyć trzecią pod względem poziomu technicznego armię świata. Poleca sprowadzić urządzenia najbardziej nowoczesne, szybko je instalować i uruchamiać. Nowoczesne maszyny dadzą nowoczesny produkt, Iran zarzuci świat najlepszymi wyrobami. Postanawia budować elektrownie atomowe, zakłady wyrobów elektronicznych, huty i wszelkie fabryki. Po czym, ponieważ w Europie panuje pyszna zima, wyjeżdża na narty do St Moritz. Ale urocza i elegancka rezydencja szacha w St Moritz nagle przestała być zakątkiem ciszy i miejscem odosobnienia. Bo w tym czasie wiadomość o nowym Eldorado poszła już w świat i wywołała poruszenie w stolicach. Taka ilość pieniędzy działa na każdą wyobraźnię, więc też wszyscy od razu policzyli, jaki kapitał można by zbić w Iranie. Przed szwajcarską rezydencją szacha zaczęła ustawiać się kolejka premierów i ministrów skądinąd szacownych i zasobnych rządów z poważnych i znanych krajów. Szach siedział w fotelu, grzał ręce przy kominku i wsłuchiwał się w potok propozycji, ofert i deklaracji. Cały świat miał teraz u swoich stóp. Miał przed sobą pochylone głowy, zgięte karki i wyciągające się dłonie. No widzicie, mówił do premierów i ministrów, nie umiecie się rządzić i dlatego nie macie pieniędzy! Pouczał Londyn i Rzym, dawał rady Paryżowi, strofował Madryt. Świat wszystkiego wysłuchiwał kornie, połykał najbardziej gorzkie piguły, bo miał oczy zwrócone w stronę połyskującej piramidy złota, która piętrzyła się na pustyni irańskiej. Ambasadorzy rezydujący w Teheranie mieli urwanie głowy, ponieważ kancelarie zarzucały ich dziesiątkami depesz na temat pieniędzy: ile szach może dać nam pieniędzy? Kiedy i na jakich warunkach? Powiedział, że nie da? Niechże ekscelencja nalega! Oferujemy gwarantowane usługi i zapewniamy życzliwą prasę! W poczekalniach najmniejszych nawet ministrów szacha nieustanny ścisk i przepychanka, gorączkowe spojrzenia i spocone ręce, żadnej elegancji i powagi. A przecież ci, którzy tłoczą się, pociągają innych za rękaw, prychają na sąsiadów z wściekłością, krzyczą, że — tu jest kolejka! to prezesi światowych spółek, dyrektorzy wielkich koncernów, delegaci znanych firm i przedsiębiorstw, wreszcie przedstawiciele mniej lub bardziej szanowanych rządów. Jedni przez drugich proponują, oferują, zachwalają a to fabrykę samolotów, a to samochodów, a to telewizorów, a to zegarków. A obok tych znamienitych i — w normalnych warunkach — dystyngowanych lordów światowego kapitału i przemysłu ciągną do Iranu całe ławice pomniejszych płotek, drobnych spekulantów i kanciarzy, speców od złota i drogich kamieni, od dyskotek i strip-tease'u, od opium, od barów, od strzyżenia brzytwą i wchodzenia na falę, ciągną tacy, co potrafią zrobić perską wersję „Playboya", tacy, którzy urządzą show w stylu Las Vegas, i ci, którzy rozkręcą ruletkę lepszą niż w Monte Carlo. Wkrótce będzie można stanąć na ulicy w Teheranie i czytać rozwieszone wokół reklamy i szyldy: Jimmy's Night Club, Holiday Barber Shop, Best Food in the World, New York Cinema, Discreete Corner. Dokładnie jakby szło się Broadwayem albo londyńskim Soho. Tym, którzy teraz drzwiami i oknami walą do Iranu, gdzieś jeszcze na europejskich lotniskach jacyś zakapturzeni studenci próbują wcisnąć zwinięte ulotki o tym, że w ich kraju ludzie umierają od tortur, że nie można ustalić, czy żyje wielu z tych, którzy zostali porwani przez Savak, ale co to kogo obchodzi, kiedy nadarza się okazja, żeby naładować swoje kieszenie, tym bardziej że wszystko odbywa się pod wzniosłym hasłem budowania Wielkiej Cywilizacji ogłoszonym przez szacha. Tymczasem szach wraca z zimowych wczasów wypoczęty i zadowolony, wreszcie wszyscy naprawdę go chwalą, cały świat pisze o nim jak najlepiej, wynosi jego zasługi ciągle podkreślając, że wszędzie jak okiem sięgnąć tyle kłopotów i nawet pełno wszelkiej grandy, a w Iranie — nic, tam sprawy idą doskonale, cały kraj w blasku postępu i nowoczesności, tam więc jeździć i przykład brać, tam patrzeć, jak to oświecony monarcha nie zniechęcając się ciemnotą i oberwaństwem swojego ludu do wspinaczki go zachęca, aby czym prędzej chciał się otrząsnąć z biedy i zabobonu i nie szczędząc potu wdrapywał się na poziom Francji i Anglii.

— Czy zdaniem Waszej Wysokości — pyta wysłannik

„Spiegla" — przyjęty przez pana model rozwoju najbardziej odpowiada współczesności?

— Jestem o tym przekonany — odpowiada szach.

Niestety, zadowolenie monarchy nie będzie trwać długo. Rozwój to zdradliwa rzeka, o czym przekona się każdy, kto wstąpi w jej nurt. Na powierzchni woda płynie gładko i wartko, ale wystarczy, żeby sternik ruszył swoją łodzią beztrosko i z nadmierną pewnością siebie, a wnet zobaczy, ile w tej rzece groźnych wirów i rozległych mielizn. W miarę jak łódź zacznie coraz częściej natrafiać na te zasadzki, twarz sternika będzie się wydłużać. Jeszcze podśpiewuje i pohukuje dla dodania animuszu, ale już w głębi duszy lęgnie się czerw goryczy i zawodu, że niby jeszcze się płynie, ale już się stoi, niby łódź rusza się, ale tkwi w miejscu: dziób osiadł na mieliźnie. To wszystko jednak nastąpi później. Na razie szach dokonał na świecie miliardowych zakupów i ze wszystkich kontynentów popłynęły w kierunku Iranu statki pełne towaru. Ale kiedy dotarły do Zatoki okazało się, że Iran nie ma portów (o czym szach nie wiedział). To znaczy, są porty, ale małe i stare, niezdolne przyjąć takiej masy ładunków. Kilkaset statków stało w morzu czekając swojej kolejki, stało często pół roku. Za te przestoje Iran płacił towarzystwom okrętowym miliard dolarów rocznie. Stopniowo jakoś rozładowywano statki, ale wtedy okazało się, że Iran nie ma magazynów (o czym szach nie wiedział). Na otwartym powietrzu, na pustyni, w koszmarnych tropikalnym upale leżało milion ton wszelkiego towaru, z czego połowa nadawała się tylko do wyrzucenia, bo była tam i żywność, i różne nietrwałe chemikalia. Cały sprowadzony towar trzeba było teraz wieźć w głąb kraju, ale wówczas okazało się, że Iran nie ma transportu (o czym szach nie wiedział). To znaczy jest trochę samochodów i wagonów, ale to ledwie kruszyna w stosunku do potrzeb. Sprowadzono więc z Europy dwa tysiące ciężarówek, ale wtedy okazało się, że Iran nie ma kierowców (o czym szach nie wiedział). Po wielu naradach posłano samoloty, które przywiozły z Seulu kierowców południowokoreańskich. Ciężarówki ruszyły i zaczęły przewozić ładunki. Aliści kierowcy nauczywszy się kilku słów po persku szybko dowiedzieli się, że płacą im o połowę mniej niż kierowcom irańskim. Oburzeni, porzucili ciężarówki i wrócili do Korei. Samochody te, już dziś bezużyteczne, stoją nadal na pustyni, na drodze prowadzącej z Bander Abbas do Teheranu, przysypane piaskiem. Z czasem jednak z pomocą zagranicznych firm transportowych przewieziono do miejsc przeznaczenia zakupione w świecie fabryki i maszyny. Przyszła więc pora, żeby zacząć montaż. Ale wtedy okazało się, że Iran nie ma inżynierów i techników (o czym szach nie wiedział). Logicznie biorąc ktoś, kto postanawia stworzyć Wielką Cywilizację, powinien zacząć od ludzi, od tego, żeby przygotować kadrę fachowców, żeby stworzyć własną inteligencję. Ale właśnie takie rozumowanie było nie do przyjęcia! Otworzyć nowe uniwersytety, otworzyć politechnikę? Każda taka uczelnia to gniazdo szerszeni. Każdy student to buntownik, warchoł i wolnomyśliciel. Czy można dziwić się szachowi, że nie chciał kręcić bata na własną skórę? Monarcha miał lepszy sposób — trzymał większość swoich studentów z dala od Iranu. Pod tym względem kraj ten był światowym unikatem. Ponad sto tysięcy młodych ludzi studiowało w Europie i Ameryce. Kosztowało to Iran wielokrotnie więcej niż tworzenie własnych uczelni. Ale w ten sposób reżim zapewniał sobie względny spokój i bezpieczeństwo. Większość tej młodzieży nigdy nie wracała. W San Francisco i w Hamburgu jest dzisiaj więcej irańskich lekarzy niż w Tebrizie i Meszhedzie. Nie wracali, mimo wysokich płac oferowanych przez szacha: bali się Savaku i nie chcieli dłużej całować nikogo w buty. Była to od lat wielka tragedia tego kraju. Dyktatura szacha, jej represje i prześladowania skazywały najlepszych ludzi Iranu, największych pisarzy, uczonych i myślicieli na emigrację, na milczenie lub na kajdany. Wykształconego Irańczyka łatwiej było spotkać w Marsylii czy w Brukseli niż w Hamadanie lub Qazvinie.

Irańczyk w Iranie nie mógł czytać książek swoich świetnych pisarzy (bo wychodziły one tylko za granicą), nie mógł oglądać filmów swoich wybitnych reżyserów (bo nie wolno było ich pokazywać w kraju), nie mógł słuchać głosu swoich intelektualistów (bo byli oni skazani na milczenie). Z woli szacha ludziom pozostawał wybór między Savakiem a mułłami. I, oczywiście, wybrali mułłów. Jeżeli mówi się o upadku jakiejś dyktatury (a reżim szacha był dyktaturą szczególnie brutalną i perfidną), nie można mieć złudzeń, że wraz z jej likwidacją cały system kończy się i znika jak zły sen. Owszem, kończy się fizyczne istnienie systemu. Ale jego skutki psychiczne, społeczne pozostają, żyją i przez długie lata dają o sobie znać, a nawet mogą przetrwać w postaci podświadomie kontynuowanych zachowań. Dyktatura niszcząc inteligencję i kulturę pozostawia po sobie puste i martwe pole, na którym nieprędko wyrośnie drzewo myśli. Na to wyjałowione pole wychodzą z ukrycia, z zakamarków, ze szczelin nie zawsze ci, którzy są najlepsi, ale często ci, którzy okazali się najsilniejsi, nie zawsze ci, którzy wniosą i stworzą nowe wartości, ale raczej ci, którym twarda skóra i wewnętrzna odporność ułatwiły przetrwanie. W takich wypadkach historia zaczyna obracać się w tragicznym, błędnym kole i potrzeba niekiedy całej epoki, aby mogła z niego się wyrwać. Jednakże w tym miejscu musimy zatrzymać się, a nawet cofnąć o kilka lat, ponieważ wyprzedzając wypadki już zburzyliśmy Wielką Cywilizację, a przecież najpierw mamy ją zbudować. Wszelako jak tu budować, skoro nie ma fachowców, a naród, choćby i garnął się do kształcenia, nie ma gdzie się uczyć? Żeby spełnić wizję szacha, trzeba było zatrudnić natychmiast co najmniej siedemset tysięcy specjalistów. Znaleziono wyjście najprostsze i najbardziej bezpieczne — będziemy sprowadzać ich z zagranicy. Sprawa bezpieczeństwa była tu argumentem wielkiej wagi, gdyż jest oczywiste, że obcy człowiek nie będzie organizować spisków i buntów, nie będzie kontestować czy obruszać się na Savak, ponieważ chodzi mu o to,

71

aby wykonać swoją pracę, zarobić pieniądze i wyjechać. Na świecie w ogóle ustałyby wszelkie rewolucje, gdyby na przykład ludzie z Ekwadoru budowali Paragwaj, a Hindusi — Arabię Saudyjską. Zamieszać, wymieszać, przesiedlić, rozproszyć, a będzie spokój. Tak więc zaczynają ściągać do Iranu dziesiątki tysięcy cudzoziemców. Na lotnisku w Teheranie ląduje samolot za samolotem. Przyjeżdżają gosposie domowe z Filipin, hydraulicy z Grecji, elektrycy z Norwegii, księgowi z Pakistanu, mechanicy z Włoch, wojskowi ze Stanów Zjednoczonych. Oglądamy zdjęcia szacha z tego okresu — szach w rozmowie z inżynierem z Monachium, szach w rozmowie z majstrem z Mediolanu, szach w rozmowie z dźwigowym z Bostonu, szach w rozmowie z technikiem z Kuźniecka. A kim są ci jedyni Irańczycy, których widzimy na zdjęciu? To ministrowie i ludzie z Savaku ochraniający monarchę. Natomiast Irańczycy, których nie widzimy na zdjęciu, patrzą na wszystko coraz bardziej rozszerzającymi się oczami. Przede wszystkim ta cudzoziemska armia, samą siłą swojej fachowości, siłą tego, że potrafi naciskać odpowiednie guziki, przekładać odpowiednie dźwignie, łączyć odpowiednie kable, choćby zachowywała się najbardziej skromnie (jak to było w wypadku naszej małej grupki specjalistów), zaczyna dominować, zaczyna wpędzać Irańczyków w kompleks niższości. Obcy umie, a ja nie potrafię. Irańczycy to naród dumny i niezmiernie wrażliwy na punkcie swojej godności. Irańczyk nie przyzna się, że czegoś nie potrafi, jest to dla niego wielki wstyd, utrata twarzy. Będzie cierpiał, będzie zgnębiony, w końcu zacznie nienawidzić. Irańczyk szybko zrozumiał myśl, która przyświecała szachowi — wy tam sobie siedźcie w cieniu meczetów i pasajcie owce, bo nim z was coś wyrośnie, minie stulecie, a ja przecież muszę z Amerykanami i Niemcami zbudować w dziesięć lat światowe imperium. Dlatego Irańczycy przyjęli Wielką Cywilizację przede wszystkim jako wielkie upokorzenie. Ale to, oczywiście, dopiero część sprawy. Zaraz bowiem zaczynają krążyć wieści, ile to ci fachowcy zarabiają w kraju, w którym dla wielu chłopów dziesięć dolarów jest majątkiem (chłop otrzymywał za swój towar pięć procent tej ceny, za jaką był on później sprzedawany w mieście na rynku). Największy szok wywołują pensje oficerów amerykańskich sprowadzanych przez szacha. Często wynoszą one sto pięćdziesiąt albo dwieście tysięcy dolarów rocznie. Po czterech latach pobytu w Iranie oficer wyjeżdża mając w kieszeni pół miliona dolarów. Inżynierowie są płatni o wiele gorzej, ale myślenie irańskie o dochodach cudzoziemców jest kształtowane przez ten pułap amerykański. Można sobie wyobrazić, jak przeciętny Irańczyk, który nie może związać końca z końcem, wielbi szacha i jego Cywilizację, co czuje, kiedy w swojej własnej ojczyźnie jest ciągle popychany, pouczany, wykpiwany przez wielu tych obcych mu ludzi, którzy — nawet jeśli tego nie manifestują — mają przekonanie o swojej wyższości. W końcu jednak z pomocą cudzoziemską część fabryk została zbudowana, ale wtedy okazało się, że nie ma elektryczności (o czym szach nie wiedział). To znaczy, dokładniej mówiąc, nie mógł nawet wiedzieć, gdyż szach czytał statystyki, a z nich wynikało, że prąd jest. I była to prawda, tylko statystyki wykazały, że jest dwa razy więcej prądu, niż było go w rzeczywistości. Tymczasem szach miał już nóż na gardle, chciał koniecznie eksportować wyroby przemysłowe, a to z tego powodu, że mając tak fantastyczne pieniądze nie tylko wydał je co do grosza, ale coraz bardziej zapożyczał się na prawo i lewo. A po cóż Iran pożyczał? Bo musiał wykupywać akcje wielkich koncernów zagranicznych, amerykańskich, niemieckich, różnych. Ale czy było to naprawdę konieczne? Tak, było to konieczne, ponieważ szach musiał rządzić światem. Od kilku lat szach wszystkich pouczał, udzielał rad Szwedom i Egipcjanom, ale teraz potrzebował jeszcze siły realnej. Wieś irańska tonęła w błocie i paliła bydlęcym łajnem, ale jakie miało to znaczenie, skoro w szachu rozwinęły się światowe ambicje?

Fotografia (11)

Właściwie nie jest to fotografia, lecz reprodukcja olejnego obrazu, na którym malarz panegirysta przedstawił szacha w pozie à la Napoleon (kiedy to cesarz Francji siedząc na koniu dowodzi jedną ze swoich zwycięskich bitew). Zdjęcie to było rozpowszechniane przez irańskie ministerstwo informacji (notabene kierowane przez Savak), musiało więc mieć aprobatę monarchy, który lubił tego rodzaju porównania. Dobrze skrojony mundur, podkreślający zgrabną, wysportowaną sylwetkę Mohammeda Rezy, oszałamia bogactwem szamerunku, ilością orderów i wymyślnym układem rozwieszonych na piersi sznurów. Na tym obrazie oglądamy szacha w jego najbardziej ulubionej roli — wodza armii. Szach bowiem, owszem, troszczy się o poddanych, zajmuje się przyspieszonym rozwojem itp., ale są to wszystko uciążliwe obowiązki wynikające z faktu, że jest przecież ojcem narodu, natomiast jego prawdziwym hobby, jego rzeczywistą pasją jest właśnie armia. Nie była to namiętność tak zupełnie bezinteresowna. Armia stanowiła zawsze główną podporę tronu, a w miarę upływu lat coraz bardziej podporę jedyną. W momencie kiedy armia rozsypała się — szach przestał istnieć. Jednakże waham się, czy w ogóle używać określenia — armia, gdyż prowadzi ono do mylnych skojarzeń. W naszej tradycji armia była związkiem ludzi, którzy przelewali krew za wolność naszą i waszą, bronili granic, walczyli o niepodległość, odnosili zwycięstwa, okrywając chwałą bojowe sztandary, lub doznawali tragicznych klęsk, po których zaczynały się lata cierpień całego narodu.

Nic podobnego nie da się powiedzieć o armii obu szachów Pahlavi. Miała ona jedyną okazję wystąpienia w roli obrońcy ojczyzny (w 1941), ale wtedy właśnie na widok pierwszego obcego żołnierza skwapliwie podała tyły i rozpierzchła się po domach. Natomiast przedtem i potem armia ta ochoczo prezentowała swoją siłę w zupełnie innych okolicznościach, a mianowicie masakrując (często bezbronne) mniejszości narodowe i równie bezbronne manifestacje ludności. Słowem armia ta była niczym innym, jak narzędziem wewnętrznego terroru, rodzajem skoszarowanej policji. I tak jak historię naszego oręża wyznaczały ongiś wielkie bitwy pod Grunwaldem, Cecorą, Racławicami czy Olszynką Grochowską, tak historię armii Mohammeda Rezy wyznaczają wielkie masakry dokonywane na własnym narodzie (Azerbejdżan — 1946, Teheran — 1963, Kurdystan — 1967, cały Iran — 1978 itd.). Dlatego wszelki rozwój armii naród przyjmował ze zgrozą i przerażeniem, uważając że w ten sposób szach kręci jeszcze grubszy i bardziej bolesny bat, który wcześniej czy później spadnie ludziom na plecy. Nawet rozdział między wojskiem a policją (było jej osiem rodzajów) miał charakter tylko formalny. Na czele wszystkich typów policji stali generałowie armii — najbliżsi ludzie szacha. Armia, podobnie jak Savak, miała wszystkie przywileje. (Po skończeniu studiów we Francji, opowiada pewien lekarz, wróciłem do Iranu. Poszliśmy z żoną do kina, stanęliśmy w kolejce. Zjawił się podoficer, który omijając wszystkich kupił w kasie bilet. Zwróciłem mu uwagę. Wtedy podszedł i trzasnął mnie w twarz. Musiałem przyjąć to z pokorą, ponieważ sąsiedzi z kolejki ostrzegli mnie, że wszelki protest może skończyć się więzieniem.) Tak więc szach najlepiej czuł się w mundurze i najwięcej czasu poświęcał swojej armii. Od lat jego ulubionym zajęciem było przeglądanie czasopism (których na Zachodzie ukazuje się dziesiątki), poświęconych nowym rodzajom broni, reklamowanym przez różne firmy i wytwórnie. Mohammed Reza wszystkie te pisma prenumerował i pilnie czytał. Przez szereg lat, nie mając tyle pieniędzy, aby zakupić każdą śmiercionośną zabawkę, która przypadła mu do gustu, mógł tylko w czasie owych fascynujących lektur pogrążać się w marzenia i liczyć, że Amerykanie dadzą mu to jakiś czołg, to samolot. Amerykanie rzeczywiście dawali dużo, jednakże zawsze znalazł się jakiś senator, który podnosił wrzawę i krytykował Pentagon, że wysyła szachowi zbyt wiele broni, i wówczas na jakiś okres dostawy ustawały. Teraz jednak, kiedy szach dostał wielkie naftowe pieniądze, skończyły się wszystkie kłopoty! Przede wszystkim ową zawrotną sumę dwudziestu miliardów dolarów (rocznie) podzielił mniej więcej po połowie: dziesięć miliardów — na gospodarkę, drugie dziesięć — na armię (tu należy dodać, że w armii znajdował się zaledwie jeden procent ludności). Następnie monarcha pogrążył się jeszcze głębiej niż zwykle w lekturze czasopism i prospektów zbrojeniowych, a w świat popłynął z Teheranu strumień najbardziej fantastycznych zamówień. Ile czołgów ma Wielka Brytania? Półtora tysiąca. Dobrze, mówi szach, zamawiam dwa tysiące. Ile dział ma Bundeswehra? Tysiąc. Dobrze, zamawiamy półtora tysiąca. Ale dlaczego zawsze więcej niż British Army i Bundeswehra? Bo musimy mieć trzecią armię na świecie. Trudno, nie możemy mieć pierwszej ani drugiej, ale trzecią — tak, trzecią możemy i musimy. I oto znowu w stronę Iranu płyną statki, lecą samoloty i toczą się samochody ciężarowe wioząc najnowocześniejszą broń, jaką ludzie wynaleźli i wyprodukowali. Wkrótce (bo o ile z wybudowaniem fabryk były kłopoty, to z dostawą czołgów sprawy wyglądają jak najlepiej) Iran przemienia się w wielki teren wystawowy wszelkich typów broni i sprzętu wojennego. Właśnie wystawowy, bo w kraju nie ma magazynów, składów, hangarów, żeby to wszystko schować i zabezpieczyć. Widok jest rzeczywiście niebywały. Kiedy jedzie się dziś z Shirazu do Isfahanu, w pewnym miejscu przy szosie, po prawej stronie, na pustyni stoją setki helikopterów. Bezczynne maszyny stopniowo zasypuje piasek. Nikt tego terenu nie pilnuje, ale też nie jest to potrzebne, nie ma takich, którzy potrafiliby uruchomić helikopter. Całe pola porzuconych armat stoją pod Qom, pola porzuconych czołgów można obejrzeć koło Ahvazu. Jednakże wyprzedzamy zdarzenia. Na razie w Iranie jest jeszcze Mohammed Reza, który ma teraz program wypełniony do ostatniej minuty. Bo arsenał monarchy rośnie z dnia na dzień, a ciągle przybywa coś nowego — to rakiety, to radary, to myśliwce, to wozy pancerne. Jest tego wszystkiego bardzo dużo, zaledwie w ciągu roku budżet wojenny Iranu wzrósł pięciokrotnie, z dwóch do dziesięciu miliardów dolarów, a szach już obmyśla dalszą zwyżkę. Monarcha jeździ, lustruje, ogląda, dotyka. Przyjmuje meldunki, raporty, słucha objaśnień, do czego służy ta oto dźwignia, co się stanie, jeżeli nacisnąć ten oto czerwony guzik. Szach słucha, kiwa głową. Dziwne jednak twarze wyglądają spod okapów hełmów bojowych, z owalu pilotek lotniczych i pancernych. Jakieś bardzo białe, z jasnym zarostem, a czasem zupełnie czarne, murzyńskie. Ależ tak, toć to po prostu Amerykanie! Bo przecież ktoś musi tymi samolotami latać, ktoś musi radarem sterować, ktoś ustawiać celowniki, a wiemy, że Iran nie ma licznej kadry techników nie tylko w cywilu, ale również w wojsku. Kupując najbardziej wyszukany sprzęt, szach musiał sprowadzić drogich amerykańskich specjalistów wojskowych, którzy potrafią się nim posłużyć. W ostatnim roku jego panowania przebywało ich w Iranie około czterdziestu tysięcy. Co trzecie nazwisko na oficerskiej liście płac było amerykańskie. W wielu formacjach technicznych oficerów irańskich można było policzyć na palcach. Ale nawet armia amerykańska nie miała takiej liczby ekspertów, jakiej domagał się szach. Oto któregoś dnia monarcha oglądając prospekty firm zbrojeniowych wpadł w zachwyt na widok najnowszego niszczyciela Spruance. Cena jednego egzemplarza wynosiła trzysta trzydzieści osiem milionów dolarów. Szach natychmiast zamówił cztery. Niszczyciele przypłynęły do portu Bender Abbas, ale załogi amerykańskie musiały wrócić do kraju, gdyż Stany Zjednoczone same nie mają dostatecznej liczby marynarzy do obsługi tych okrętów. Owe niszczyciele niszczeją do dziś w porcie Bender Abbas. Innego dnia zachwyt szacha wzbudził prototyp bombowca myśliwskiego F-16. Od razu postanowił zakupić dużą partię. Ale Amerykanie to biedota, nie stać ich na nic porządnego i teraz też zdecydowali zarzucić produkcję bombowca, gdyż jego cena wydawała im się zbyt wysoka — dwadzieścia sześć milionów dolarów za egzemplarz. Na szczęście szach uratował sprawę i postanowił wesprzeć swoich ubogich przyjaciół. Wysłał im zamówienie na sto sześćdziesiąt tych samolotów załączając czek na sumę trzech miliardów ośmiuset milionów dolarów. Dlaczegoż by z tych zawrotnych sum nie odjąć choćby jednego miliona, żeby zakupić kilka autobusów miejskich dla mieszkańców Teheranu? Ludzie w stolicy czekają godzinami na autobus, a potem godzinami jadą do pracy. Autobusów miejskich? A jaka to wielkość tkwi w autobusie miejskim? Jakiż to blask potęgi może promieniować z takiego autobusu? A gdyby tak z tych miliardów odjąć jeden milion, żeby w kilku wioskach zbudować studnie? Studnie? A któż to będzie jeździł do tych wiosek oglądać studnie? Te wioski w górach, daleko, nikomu nie zechce się zwiedzać ich i podziwiać. Załóżmy, że zrobimy album, który pokazuje Iran jako piąte mocarstwo. W albumie zamieszczamy zdjęcie wioski, w której stoi studnia. Ludzie w Europie będą zastanawiać się, co z takiej fotografii wynika? Nic. Po prostu widać wioskę, w której stoi studnia. Natomiast jeżeli zamieścimy zdjęcie monarchy ustawiając w tle szeregi odrzutowców (jest bardzo dużo takich fotografii), wszyscy pokiwają głową z podziwem i powiedzą, rzeczywiście, trzeba przyznać, że ten szach zrobił coś niebywałego! Tymczasem Mohammed Reza znajduje się w swoim gabinecie sztabowym. Widziałem w telewizji reportaż z tego gabinetu. Jedną ścianę zajmuje olbrzymia mapa świata. W znacznej odległości od mapy stoi głęboki, rozłożysty fotel, a obok stolik i trzy telefony. Zwraca uwagę, że w całym pomieszczeniu nie ma żadnych innych mebli. Nie ma więcej foteli ani krzeseł. Tutaj przebywał sam. Siadał w fotelu i przyglądał się mapie. Wyspy w cieśninie Ormuz. Już zdobyte, zajęte przez jego wojsko. Oman. Tam znajdują się jego dywizje. Somalia. Udzielił jej pomocy wojskowej. Zair. Też udzielił pomocy. Dał kredyty Egiptowi i Maroku. Europa. Tu miał kapitały, banki, udziały w wielkich koncernach. Ameryka. Tu też wykupił dużo udziałów, miał coś do powiedzenia. Iran rozrastał się, ogromniał, zdobywał pozycje na wszystkich kontynentach. Ocean Indyjski. Tak, przyszedł moment, aby umocnić wpływy na Oceanie Indyjskim. Tej sprawie zaczął poświęcać coraz więcej czasu.

Fotografia (12)

Samolot linii lotniczych Lufthansa na lotnisku Mehrabad w Teheranie. Wygląda to na zdjęcie reklamowe, ale w tym wypadku nie potrzeba reklamy, miejsca są zawsze wyprzedane. Samolot ten odlatuje codziennie z Teheranu i ląduje w południe w Monachium. Zamówione limuzyny wiozą pasażerów do eleganckich restauracji na obiad. Po obiedzie tym samym samolotem wszyscy wracają do Teheranu, gdzie już we własnych domach oczekuje ich kolacja. Nie jest to droga rozrywka — dwa tysiące dolarów od osoby. Dla ludzi, którzy cieszą się łaską szacha, taka suma nie odgrywa żadnej roli. To raczej plebs pałacowy jada obiady w Monachium. Nieco wyżej postawieni nie zawsze mają ochotę ponosić trudy tak dalekiej wyprawy. Dla nich samolotem Air France przywożą obiad kucharze i kelnerzy z paryskiego Maxima. Ale nawet takie zachcianki nie są niczym nadzwyczajnym, ponieważ kosztują one zaledwie grosze wobec bajecznych fortun, jakie gromadzi Mohammed Reza i jego ludzie. W oczach przeciętnego Irańczyka Wielka Cywilizacja, czyli Rewolucja Szacha i Narodu, była przede wszystkim Wielką Grabieżą, którą zajmowała się elita. Kradli wszyscy, którzy mieli władzę. Jeżeli ktoś był na stanowisku i nie kradł, robiło się wokół niego pusto: wzbudzał podejrzenie. Inni mówili o nim — to na pewno szpieg, przysłali go, żeby szpiclował i donosił, ile kto kradnie, bo te wiadomości są potrzebne naszym wrogom. Jeżeli mogli, szybko pozbywali się takiego człowieka — psuł grę. W ten sposób wszystko stało na głowie, wartości miały odwrócony znak. Ktoś, kto chciał być uczciwy, był posądzany o to, że jest opłacanym łapsem. Jeżeli ktoś miał czyste ręce, musiał je głęboko chować, w czystości było coś wstydliwego, coś dwuznacznego. Im wyżej, tym kieszeń pełniejsza. Kto chciał zbudować fabrykę, otworzyć firmę albo uprawiać bawełnę, musiał część udziałów dawać w prezencie rodzinie szacha albo jednemu z dygnitarzy. I chętnie dawał, gdyż interes tylko wtedy mógł się rozwijać, jeżeli miał poparcie dworu. Każdą przeszkodę pokonywało się mając pieniądze i wpływy. Wpływy można było kupić, a potem korzystając z nich jeszcze bardziej pomnażać fortunę. Trudno wyobrazić sobie tę rzekę pieniędzy, która płynie do kasy szacha, jego rodziny i całej elity dworskiej. Rodzina szacha brała łapówki po sto milionów dolarów i więcej. W samym Iranie obracała ona sumą wahającą się od trzech do czterech miliardów dolarów, ale jej główny majątek znajduje się w bankach zagranicznych. Premierzy i generałowie brali łapówki po dwadzieścia i pięćdziesiąt milionów dolarów. Im schodziło się niżej, tym pieniądze były mniejsze, ale były zawsze! W miarę jak rosły ceny, podnosiła się wysokość łapówek, zwykli ludzie skarżyli się, że coraz większą część zarobków muszą przeznaczać na karmienie molocha korupcji. W dawnych czasach istniał w Iranie zwyczaj sprzedawania stanowisk na licytacji. Szach ogłaszał cenę wyjściową za urząd gubernatora i kto zapłacił najwięcej, ten zostawał gubernatorem. Potem jako gubernator łupił poddanych, żeby odzyskać (z nawiązką) pieniądze, które pobrał od niego szach. Teraz zwyczaj ten odżył pod inną postacią. Teraz monarcha kupował ludzi wysyłając ich, aby zawierali wielkie kontrakty, zwłaszcza wojskowe. Z takiej okazji otrzymywało się olbrzymie prowizje, z których część przypadała rodzinie monarchy. Był to raj dla generałów (wojsko i Savak zbiły na Wielkiej Cywilizacji największy majątek). Generalicja napychała kieszenie bez najmniejszej żenady. Dowódca marynarki wojennej, kontradmirał Ramzi Abbas Atai, używał swojej floty do przewożenia kontrabandy z Dubaju do Iranu. Od strony morza Iran był bezbronny — jego okręty stały w porcie Dubaj, gdzie kontradmirał ładował na pokład japońskie samochody.

Szach zajęty budowaniem Piątego Mocarstwa, Rewolucją, Cywilizacją i Postępem nie miał czasu zajmować się tak drobnymi operacjami jak jego podwładni. Miliardowe konta monarchy powstały w znacznie prostszy sposób. Był on jedynym człowiekiem, który miał wgląd w buchalterię Irańskiego Towarzystwa Naftowego, to znaczy rozstrzygał, jak zostaną podzielone petrodolary, a granica między kieszenią monarchy a kiesą państwową była niewyraźna, nieokreślona. Dodajmy, że szach, przytłoczony taką ilością obowiązków, ani przez chwilę nie zapominał o prywatnej szkatule i łupił swój kraj na wszystkie możliwe sposoby. Co dzieje się z tą ogromną ilością pieniędzy, którą gromadzą ulubieńcy szacha? Najczęściej lokują swoje fortuny w bankach zagranicznych. Już w roku 1958 wybuchł skandal w senacie amerykańskim, ponieważ ktoś ustalił, że pieniądze, jakie dawała wówczas Ameryka na pomoc biedującemu Iranowi, wróciły do Stanów Zjednoczonych w postaci sum wpłaconych do banków na prywatne konta szacha, jego rodziny i jego zaufanych. Ale od momentu, kiedy Iran zaczyna swój wspaniały interes naftowy, to znaczy od czasu wielkich podwyżek, żaden senat nie ma już prawa ingerować w wewnętrzne sprawy królestwa i potok dolarów może spokojnie wpływać z kraju do obcych, ale zaufanych banków. Co roku elita irańska lokowała w tych bankach na swoich kontach prywatnych ponad dwa miliardy dolarów, a w roku rewolucji wywiozła ich ponad cztery miliardy. Była to więc grabież własnego kraju na skalę trudną do ogarnięcia. Każdy mógł wywieźć tyle pieniędzy, ile miał, bez żadnej kontroli i ograniczeń, wystarczyło wypełnić czek. Ale to nie wszystko, bo wywozi się ponadto ogromne sumy, aby wydać je od ręki na prezenty i rozrywki, a także po to, aby w Londynie czy Frankfurcie, w San Francisco czy na Wybrzeżu Lazurowym wykupić całe ulice kamienic i willi, dziesiątki hoteli, prywatnych szpitali, kasyn gry i restauracji. Wielkie pieniądze pozwoliły szachowi powołać do życia nową klasę, nie znaną dawniej historykom ani socjologom — burżuazję naftową. Niezwykły to fenomen społeczny. Burżuazja ta niczego nie wytwarza, a jej jedynym zajęciem jest rozpasana konsumpcja. Awans do tej klasy nie odbywa się drogą walki społecznej (z feudalizmem) ani poprzez konkurencję (przemysłową i handlową), tylko drogą walki i konkurencji o łaski i przychylność szacha. Awans ten może dokonać się w ciągu jednego dnia, w ciągu jednej minuty, wystarczy słowo monarchy, wystarczy jego podpis. Awansuje ten, kto jest szachowi bardziej wygodny, kto potrafi mu lepiej i gorliwiej schlebiać, kto przekona go o swojej lojalności i poddaństwie. Inne wartości i zalety są zbędne. To klasa pasożytów, która szybko przywłaszcza sobie znaczną część dochodów naftowych Iranu i staje się właścicielem kraju. Wszystko im wolno, ponieważ ci ludzie zaspokajają największą potrzebę szacha — potrzebę schlebiania. Dają mu również tak bardzo upragnione poczucie bezpieczeństwa. Jest teraz otoczony uzbrojoną po zęby armią i ma wokół siebie tłum, który na jego widok wydaje okrzyki zachwytu. Jeszcze nie uświadamia sobie, jak bardzo jest to wszystko pozorne, fałszywe i kruche. Na razie króluje burżuazja naftowa (a tworzy ją przedziwna zbieranina — wyższa biurokracja wojskowa i cywilna, ludzie dworu i ich rodziny, górna warstwa spekulantów i lichwiarzy, a także liczna kategoria nieokreślonych typów bez zawodu i stanowisk. Ci ostatni są trudni do zakwalifikowania. Każdy z nich ma pozycję, majątek i wpływy. Dlaczego? pytam. Odpowiedź jest zawsze jedna — był to człowiek szacha. To wystarczyło). Cechą tej klasy, wzbudzającej szczególną furię w społeczeństwie tak przywiązanym do rodzimych tradycji jak irańskie, było jej wynarodowienie. Ludzie ci ubierają się w Nowym Jorku i Londynie (panie raczej w Paryżu), czas wolny spędzają w klubach amerykańskich w Teheranie, dzieci ich kształcą się za granicą. Klasa ta cieszy się w tym samym stopniu sympatią Europy i Ameryki, co antypatią współziomków. Przyjmuje w swoich eleganckich willach gości odwiedzających Iran i kształtuje ich opinie o kraju (którego często sama już nie zna). Ma światowe maniery i mówi europejskimi językami, czy nie jest więc zrozumiałe, że choćby z tego ostatniego powodu Europejczyk z nią właśnie szuka kontaktu? Ale jakże mylące są te spotkania, jakże odległy od tych willi jest Iran rzeczywisty, który już wkrótce dojdzie do głosu i zaskoczy świat! Klasa, o której mowa, wiedziona instynktem samozachowawczym przeczuwa, że jej kariera jest równie błyskotliwa jak krótkotrwała. Dlatego od początku siedzi na walizkach, wywozi pieniądze i kupuje posiadłości w Europie i w Ameryce. Ale ponieważ pieniędzy jest dużo, można przeznaczyć część fortuny, aby wygodnie żyć w samym Iranie. W Teheranie zaczynają powstawać superluksusowe dzielnice, których komfort i bogactwo muszą oszołomić każdego przybysza. Ceny wielu domów sięgają milionów dolarów. Dzielnice te wyrastają w tym samym mieście, gdzie na innych ulicach całe rodziny gnieżdżą się na kilku metrach kwadratowych, w dodatku bez światła i wody. Bo też gdyby owa konsumpcja przywilejów, owo wielkie żarcie odbywało się jakoś po cichu, dyskretnie — wziął, schował i nic nie widać, poucztował, przedtem zasłaniając firankami okna, pobudował się, lecz głęboko w lesie, żeby innych nie drażnić. Ale gdzie tam! Tutaj zwyczaj nakazuje, żeby olśnić i oszołomić, żeby wyłożyć wszystko jak na wystawie, zapalić wszystkie światła, oślepić, rzucić na kolana, przytłoczyć, zmiażdżyć! Po cóż w ogóle mieć? Żeby tylko milczkiem, na boku, gdzieś tam, coś tam, podobno mówią, ktoś mówił, ktoś słyszał, ale gdzie, co? Nie! Tak mieć, to nie mieć wcale! Naprawdę mieć, to trąbić, że się ma, zwoływać, żeby oglądali, niech patrzą i podziwiają, niech im oczy wychodzą na wierzch! I rzeczywiście, na oczach milczącego i coraz bardziej wrogiego tłumu, nowa klasa daje pokaz irańskiego dolce vita, które nie zna umiaru w swoim rozpasaniu, zachłanności i cynizmie. Sprowokuje ona pożar, w którego płomieniach zginie wraz ze swoim stworzycielem i protektorem.

Fotografia (13)

Jest to reprodukcja karykatury, którą jakiś opozycyjny artysta narysował w dniach rewolucji. Widzimy ulicę w Teheranie. Jezdnią przemyka kilka wielkich, amerykańskich samochodów, krążowników szos. Na chodniku stoją ludzie, mają rozczarowane miny. Każdy z nich trzyma w ręku bądź klamkę od drzwi samochodowych, bądź pasek klinowy, albo dźwignię od skrzyni biegów. Pod tym rysunkiem jest podpis — Każdemu Peykan! (Peykan to nazwa popularnego samochodu w Iranie.) Kiedy szach otrzymał wielkie pieniądze, obiecał, że każdy Irańczyk będzie mógł kupić sobie auto. Karykatura przedstawia, w jaki sposób obietnica ta została wypełniona. Nad tą ulicą, na obłoku, siedzi zagniewany szach. Nad jego głową biegnie napis — Mohammed Reza sierdzi się na naród, który nie chce przyznać, iż odczuwa poprawę. Jest to ciekawy rysunek, który mówi, jak Irańczycy interpretowali Wielką Cywilizację, a mianowicie — jako Wielką Niesprawiedliwość. W społeczeństwie, nigdy nie znającym równości, powstały teraz jeszcze większe przepaście. Oczywiście, zawsze szachowie mieli więcej niż inni, ale trudno było ich nazwać milionerami. Musieli sprzedawać koncesje, żeby utrzymać dwór na jakim takim poziomie. Szach Naser-ed-Din tak zadłużył się w burdelach paryskich, że aby wykupić się i wrócić do ojczyzny sprzedał Francuzom prawa na poszukiwania archeologiczne i wywóz znalezionych starożytności. Ale to była przeszłość. Teraz, w połowie lat siedemdziesiątych, Iran zdobywa wielką fortunę. I co robi szach? Część pieniędzy rozdziela między elitę, połowę majątku przeznacza na swoją armię, a resztę — na rozwój. Ale co to znaczy — rozwój? Rozwój nie jest kategorią obojętną i abstrakcyjną, rozwój odbywa się zawsze w imię czegoś i dla kogoś. Może być rozwój, który wzbogaca społeczeństwo i czyni jego życie lepszym, wolnym i sprawiedliwym, ale rozwój może mieć także charakter przeciwny. Tak jest w systemach jedynowładczych, gdzie elita utożsamia swój interes z interesem państwa (jej instrumentem panowania) i gdzie rozwój, mając jako cel umocnienie państwa i jego aparatu represji, umacnia dyktaturę, niewolę, jałowość, nijakość, pustkę egzystencji. I taki był właśnie rozwój w Iranie sprzedawany w reklamowym opakowaniu Wielkiej Cywilizacji. Czy można dziwić się Irańczykom, że ponosząc straszliwe ofiary powstali i zburzyli ten model rozwoju? Uczynili tak nie dlatego, że byli ciemni i zacofani (mowa jest o narodzie, a nie o paru oszalałych fanatykach), ale przeciwnie, ponieważ byli mądrzy i inteligentni i rozumieli, co się wokół nich dzieje, rozumieli, że jeszcze kilka lat takiej Cywilizacji, a nie będzie czym oddychać i nawet przestaną istnieć jako naród. Walkę z szachem (to znaczy walkę przeciw dyktaturze) prowadził nie tylko Chomeini i mułłowie. Tak to przedstawiała zręczna (jak okazało się) propaganda Savaku: że niby ciemni mułłowie zniszczyli światłe i postępowe dzieło szacha. Nie! Tę walkę prowadzili przede wszystkim ci wszyscy, którzy stanowili rozum, sumienie, honor, uczciwość i patriotyzm Iranu. Robotnicy, pisarze, studenci, uczeni. Oni przede wszystkim ginęli w więzieniach Savaku i oni pierwsi chwycili za broń, żeby walczyć z dyktaturą. Bo też Wielkiej Cywilizacji towarzyszą od początku dwa zjawiska, które rozwijają się na skalę dotąd w tym kraju nie spotykaną: wzrost represji policyjnych i terroru dyktatury, a z drugiej strony coraz większa ilość strajków robotniczych i studenckich oraz powstanie silnej partyzantki. Przewodzą jej fedaini irańscy (którzy notabene z mułłami nie mieli nic wspólnego, przeciwnie — są przez nich zwalczani). Ta partyzantka działa na znacznie większą skalę niż w wielu krajach Ameryki Łacińskiej, ale na ogół świat o jej istnieniu w ogóle nie wie, bo cóż to kogo obchodzi, skoro szach daje wszystkim zarobić? Tymi partyzantami są lekarze, studenci, inżynierowie, poeci — to jest ta irańska „ciemnota", która występuje przeciw światłemu szachowi i jego nowoczesnemu państwu, które wszyscy chwalą i podziwiają. W ciągu pięciu lat ginie w bitwach kilkuset partyzantów irańskich, a kilkuset innych morduje Savak w czasie tortur. W tym okresie takich tragicznych ofiar nie miał na swoim sumieniu ani Somoza, ani Stroessner. Z tych, którzy utworzyli partyzantkę irańską, którzy byli jej dowódcami i terrorystami, którzy stali na czele fedainów, mudżahedinów i innych walczących ugrupowań, nie pozostał przy życiu ani jeden człowiek.

Z notatek (6)

Szyita — to przede wszystkim zaciekły opozycjonista. Z początku szyici stanowili małą grupę przyjaciół i stronników zięcia Mahometa, męża jego ukochanej córki Fatimy — Alego. Po śmierci Mahometa, który nie pozostawił męskiego potomka ani nie wskazał wyraźnie swojego następcy, wśród muzułmanów zaczęła się walka o schedę po proroku, o to, kto będzie przywódcą (kalifem) wyznawców Allacha, pierwszą osobą w świecie islamu. Stronnictwo (bo to właśnie oznacza słowo szyi'a) Alego lansuje na to stanowisko swojego przywódcę utrzymując, że Ali jest jedynym przedstawicielem rodziny proroka, ojcem dwóch wnuków Mahometa — Hasana i Huseina. Jednakże sunnicka większość muzułmańska przez dwadzieścia cztery lata ignoruje głos szyitów wybierając na trzech kolejnych kalifów Abu Bakra, Umara i Utmana. W końcu Ali zdobywa kalifat, ale tylko na lat pięć, gdyż zginie zamordowany przez zamachowca, który rozpłata mu głowę zatrutą szablą. Z dwóch synów, jakich miał Ali, Hasan będzie otruty, a Husein padnie w bitwie. Śmierć rodziny Alego pozbawia szyitów szans na zdobycie władzy (która dostaje się w ręce sunnickich dynastii Omajjadów, potem Abbasydów, wreszcie Otomanów). Kalifat, mający według wyobrażeń proroka być instytucją skromności i prostoty, zostaje przemianowany na monarchię dziedziczną. W tej sytuacji plebejscy, pobożni i ubodzy szyici, których razi nowobogacki styl zwycięskich kalifów, przechodzą do opozycji.

Wszystko to dzieje się w połowie wieku siódmego, ale jest ciągle żywą i namiętnie rozpamiętywaną historią. W rozmowie z pobożnym szyitą na temat jego wiary będzie on stale wracać do tamtych, zamierzchłych dziejów i ze łzami w oczach opowiadać wszystkie szczegóły masakry pod Karbalą, w czasie której Huseinowi odcięto głowę. Sceptyczny, ironiczny Europejczyk pomyśli w tym miejscu — Boże, jakież to dziś ma znaczenie! ale jeżeli głośno wypowie tę myśl, narazi się na gniew i nienawiść szyity.

Los szyitów jest w istocie pod każdym względem tragiczny, a to poczucie tragizmu, krzywdy dziejowej i nieustannie towarzyszącego im nieszczęścia jest głęboko zakodowane w świadomości szyity. Są na świecie społeczności, którym od wieków nic się nie udaje, wszystko jakoś rozłazi się w rękach, co zabłyśnie promyk nadziei, to zaraz zgaśnie, wszystkie wiatry mają z przeciwnej strony, słowem ludy te wydają się być naznaczone jakimś fatalnym piętnem. Tak jest właśnie w wypadku szyitów. Może dlatego sprawiają wrażenie śmiertelnie poważnych, napiętych, zawzięcie obstających przy swojej racji i niepokojąco, nawet groźnie pryncypialnych, a także (oczywiście jest to tylko wrażenie) — smutnych.

Od chwili, kiedy szyici (stanowiący zaledwie jedną dziesiątą muzułmanów, gdyż pozostali są sunnitami) przechodzą do opozycji, zaczynają się ich prześladowania. Do dziś żyją oni wspomnieniami kolejnych pogromów, jakich ofiarą padali na przestrzeni dziejów. Zamykają się więc w gettach, żyją w obrębie własnej komuny, porozumiewają się za pomocą sobie tylko zrozumiałych znaków i wypracowują konspiracyjne formy zachowania. Ale ciosy nadal spadają na ich głowy. Szyici są hardzi, są inni niż pokorna, sunnicka większość, przeciwstawiają się władzy oficjalnej (która od purytańskich czasów Mahometa obrosła już w przepych i bogactwo), występują przeciw obowiązującej ortodoksji, a więc nie mogą być tolerowani.

Stopniowo zaczynają poszukiwać miejsc bardziej bezpiecznych, które dawałyby większą szansę przetrwania. W tamtych czasach trudnej i powolnej komunikacji, w których odległość, przestrzeń odgrywają rolę skutecznego izolatora, ściany odgradzającej, szyici starają się wynieść możliwie daleko od centrum władzy (które znajduje się w Damaszku, później w Bagdadzie). Rozpraszają się po świecie, wędrują przez góry i pustynie, krok po kroku schodzą do podziemia. W ten sposób powstaje trwająca do dzisiaj w świecie islamskim diaspora szyicka. Epopea szyitów, pełna aktów niesłychanych wyrzeczeń, odwagi i hartu ducha, zasługuje na osobną książkę. Część tych wędrujących komun szyickich udaje się na wschód. Przeprawiają się przez Tygrys i Eufrat, przez góry Zagros i docierają na pustynną wyżynę irańską.

W czasie tym Iran, wyczerpany, wyniszczony wiekowymi wojnami z Bizancjum, jest świeżo podbity przez Arabów, którzy zaczynają krzewić nową wiarę — islam. Proces ten odbywa się powoli i w atmosferze walki. Dotychczas Irańczycy mieli oficjalną religię (zoroastryzm) związaną z panującym reżimem (Sassanidów), a teraz usiłuje się narzucić im inną oficjalną religię, związaną z nowym (w dodatku obcym) panującym reżimem — sunnicki islam. Trochę to jak z deszczu pod rynnę.

Ale w tym właśnie momencie pojawiają się w Iranie strudzeni, biedni, nieszczęśliwi szyici, na których widać ślady całej odbytej gehenny. Irańczycy dowiadują się teraz, że ci szyici to muzułmanie, w dodatku (jak sami twierdzą) jedyni prawowici muzułmanie, jedyni nosiciele czystej wiary, za którą gotowi są oddać życie. No dobrze, pytają Irańczycy, a ci wasi bracia Arabowie, którzy nas podbili? Bracia? wykrzykują z oburzeniem szyici, toż to przecież sunnici, uzurpatorzy, nasi prześladowcy. Zamordowali Alego i zagarnęli władzę. Nie, my ich nie uznajemy. Jesteśmy w opozycji! Po tym oświadczeniu szyici pytają, czy mogą odpocząć po trudach długiej wędrówki, i proszą o dzban chłodnej wody.

To oświadczenie bosonogich przybyszów naprowadza myśl Irańczyków na bardzo ważny trop. Aha, to znaczy można być muzułmaninem, ale niekoniecznie muzułmaninem reżimowym. Co więcej, z tego, co mówią, wynika, że można być muzułmaninem opozycyjnym! I że wtedy nawet jest się muzułmaninem lepszym! Podobają im się ci biedni i pokrzywdzeni szyici. Irańczycy w tym czasie też są biedni i czują się pokrzywdzeni. Są zrujnowani przez wojnę i w ich kraju rządzi najeźdźca. Szybko więc znajdują język z wygnańcami, którzy szukają tu schronienia i liczą na gościnę, zaczynają wsłuchiwać się w ich kaznodziejów i na koniec przyjmować ich wiarę.

W tym zręcznym manewrze, jakiego dokonują Irańczycy, znajduje wyraz cała ich inteligencja i niezależność. Mają oni szczególną umiejętność zachowywania niezależności w warunkach zależności. Przez setki lat Iran był ofiarą podbojów, agresji, rozbiorów, przez wieki był rządzony przez obcych albo przez miejscowe reżimy zależne od obcych potęg, a jednak zachował swoją kulturę i język, swoją imponującą osobowość i tyle siły duchowej, że w sprzyjających sytuacjach potrafił odrodzić się i powstać z popiołów. W ciągu dwudziestu pięciu wieków swojej pisanej historii Irańczycy zawsze, wcześniej czy później, umieli wyprowadzić w pole tych, którzy sądzili, że będą rządzić nimi bezkarnie. Czasem muszą w tym celu posłużyć się bronią powstań i rewolucji i płacą wówczas tragiczną daninę krwi. Czasem stosują taktykę biernego oporu, ale uprawianą w sposób niebywale konsekwentny, skrajny. Kiedy mają już dosyć władzy, która stała się nieznośna, której dłużej zdecydowanie nie chcą tolerować, wówczas cały kraj nieruchomieje, cały naród znika, jakby zapadł się pod ziemię. Władza rozkazuje, ale nie ma kto słuchać, marszczy brwi, ale nikt na to nie patrzy, krzyczy, ale jest to głos wołającego na puszczy. I wówczas władza rozsypuje się jak domek z kart. Najczęściej jednak stosowanym przez nich zabiegiem jest zasada wchłaniania, asymilacji, asymilacji czynnej, takiej, która oznacza przekuwanie wrażego oręża na własną broń. I tak też postępują wówczas, kiedy zostali podbici przez Arabów. Chcecie mieć islam, mówią do swoich okupantów, będziecie mieć islam, ale w naszej narodowej formie, w niepodległym, zbuntowanym wydaniu. Będzie to wiara, ale wiara irańska, w której wyrazi się nasz duch, nasza kultura i nasza niezależność. Ta filozofia leży u podstaw decyzji Irańczyków, kiedy przyjmują islam. Przyjmują go, ale w szyickiej odmianie, która w tym czasie jest wiarą pokrzywdzonych i pokonanych, jest narzędziem kontestacji i oporu, ideologią niepokornych, którzy gotowi są cierpieć, ale nie odstąpią od zasad, gdyż chcą zachować swoją odrębność i godność. Szyityzm stanie się dla Irańczyków nie tylko ich narodową religią, lecz również ich azylem i schronieniem, formą narodowego przetrwania, a także — w odpowiednich momentach — walki i wyzwolenia.

Iran przemienia się w najbardziej niespokojną prowincję imperium muzułmańskiego. Ciągle ktoś tu spiskuje, ciągle jakieś powstania, kręcą się zamaskowani emisariusze, krążą tajne ulotki i pisemka. Przedstawiciele władz okupacyjnych — arabscy gubernatorzy sieją terror, ale jego skutki są odwrotne od zamierzonych. W odpowiedzi na terror oficjalny irańscy szyici przystąpią do walki, ale nie frontalnie, gdyż na to są zbyt słabi. Jednym z elementów społeczności szyickiej stanie się odtąd — jeśli można użyć takiego określenia — margines terrorystyczny. Do dziś dnia te zakonspirowane, małe, ale nie znające lęku i litości organizacje terrorystów sieją postrach w Iranie. Połowa zabójstw w Iranie, jaką przypisuje się ajatollachom, jest wykonywana z wyroku tych ugrupowań. W ogóle uważa się, że szyici pierwsi w historii świata stworzyli teorię i wprowadzili w praktyce terror indywidualny jako metodę walki. Ów wspomniany margines jest produktem walk ideologicznych toczących się wiekami w łonie szyityzmu.

Jak każdą społeczność prześladowaną, skazaną na getto i walczącą o przetrwanie, tak również szyitów cechuje zażartość, ortodoksyjna, obsesyjna, fanatyczna dbałość o czystość doktryny. Człowiek prześladowany, żeby przeżyć, musi zachować niezachwianą wiarę w słuszność swojego wyboru i strzec wartości, które o tym wyborze zdecydowały. Otóż wszystkie schizmy, jakich szyityzm przeżył dziesiątki, miały jeden wspólny mianownik — były to (powiedzielibyśmy) schizmy ultralewicowe. Zawsze znalazł się jakiś fanatyczny odłam, który atakował pozostałą masę współwyznawców oskarżając ją o zanik żarliwości, lekceważenie nakazów wiary, wygodnictwo i oportunizm. Następował rozłam, po czym najgorliwsi spośród schizmatyków chwytali za broń i szli rozprawiać się z wrogami islamu, aby okupić krwią (bo sami często ginęli) zdradę i lenistwo swoich ociągających się braci.

Szyici irańscy żyją w podziemiu, w katakumbach przez osiemset lat. Ich życie przypomina męki i niedole pierwszych chrześcijan w Rzymie, rzucanych na pożarcie lwom. Czasem wydaje się, że zostaną wytępieni doszczętnie, że czeka ich ostateczna zagłada. Latami chronią się w górach, mieszkają w pieczarach, umierają z głodu. Ich pieśni, które przetrwały z tamtych lat, są pełne żalu i rozpaczy, zapowiadają koniec świata.

Ale są też okresy bardziej spokojne i wówczas Iran staje się azylem wszystkich opozycjonistów w imperium muzułmańskim, którzy ściągają tu z całego świata, ażeby wśród spiskujących szyitów znaleźć schronienie, zachętę i ratunek. Mogą też pobierać lekcje w wielkiej szkole szyickiej konspiracji. Mogą na przykład opanować zasadę maskowania się (taqija), która ułatwia przetrwanie. Zezwala ona szyicie, jeżeli znajdzie się wobec silniejszego przeciwnika, pozornie uznać religię panującą, ogłosić się jej wiernym, byle tylko ocalić istnienie swoje i najbliższych. Mogą opanować zasadę dezorientowania przeciwnika (kitman), która pozwala szyicie w sytuacji zagrożenia wyprzeć się w oczy wszystkiego, co przed chwilą powiedział, udać durnia. Toteż Iran staje się w średniowieczu Mekką wszelkiego typu kontestatorów, rebeliantów, buntowników, najprzedziwniejszych pustelników, proroków, nawiedzonych, kacerzy, stygmatyków, mistyków, wróżbitów, którzy tu schodzą się wszystkimi drogami i nauczają, kontemplują, modlą się i wieszczą. Wszystko to stwarza w Iranie tak charakterystyczną dla tego kraju atmosferę religijności, egzaltacji i mistyki. W szkole byłem bardzo pobożny, mówi Irańczyk, i wszystkie dzieci wierzyły, że moją głowę otacza świetlista aureola. Wyobraźmy sobie europejskiego przywódcę, który opowiada, że jadąc na koniu spadł w przepaść, ale jakiś święty wyciągnął rękę, schwytał go w powietrzu i w ten sposób uratował mu życie. Tymczasem szach opisuje taką historię w swojej książce i wszyscy Irańczycy czytają to z powagą. Wiara w cuda jest tu głęboko zakorzeniona. A także wiara w cyfry, znaki, symbole, wróżby i objawienia.

W XVI wieku władcy irańskiej dynastii Safavidów podnoszą szyityzm do godności religii oficjalnej. Teraz szyityzm, który był ideologią opozycji ludowej, staje się ideologią opozycyjnego państwa — państwa irańskiego, które przeciwstawia się dominacji sunnickiego imperium Otomanów. Ale z biegiem czasu stosunki między monarchią i Kościołem szyickim będą psuły się coraz bardziej.

Rzecz w tym, że szyici nie tylko odrzucają władzę kalifów, ale również ledwie tolerują wszelką władzę świecką. Iran stanowi unikalny przypadek kraju, w którym społeczeństwo wierzy jedynie w panowanie swoich religijnych przywódców — imamów, z których — w dodatku — ostatni, według racjonalnych, ale nie szyickich kryteriów, zeszedł ze świata w IX wieku.

Tu docieramy do istoty doktryny szyickiej, głównego aktu wiary jej wyznawców. Szyici, pozbawieni szans na kalifat, na zawsze odwracają się plecami od kalifów i odtąd uznają przywódców tylko własnego wyznania — imamów. Pierwszym imamem jest Ali, drugim i trzecim jego synowie — Hasan i Husein, i tak aż do dwunastego. Wszyscy ci imamowie zginęli śmiercią gwałtowną, zamordowani albo otruci przez kalifów, którzy widzieli w nich przywódców groźnej opozycji. Szyici jednak wierzą, że ostatni, dwunasty imam — Mohammed nie zginął, lecz zniknął w jaskini wielkiego meczetu w Samarra (Irak). Stało się to w roku 878. Jest to imam Ukryty, Wyczekiwany, który zjawi się w odpowiednim czasie jako Mahdi (prowadzony przez Boga) i ustanowi na ziemi królestwo sprawiedliwości. Potem nastąpi koniec świata. Szyici wierzą, że gdyby ów imam nie istniał, gdyby nie był obecny, świat uległby zagładzie. Wiara w istnienie Wyczekiwanego jest źródłem siły duchowej szyitów, z tą wiarą żyją i za nią giną. Jest to bardzo ludzka tęsknota społeczności skrzywdzonej i cierpiącej, która w tej idei znajduje otuchę i przede wszystkim — sens życia. Nie wiemy, kiedy ten Wyczekiwany przyjdzie, ale przecież może zjawić się w każdej chwili, bodajby i dzisiaj. A wówczas skończą się łzy i każdy dostanie miejsce przy stole obfitości.

Wyczekiwany jest jedynym przywódcą, któremu szyici gotowi są w pełni się podporządkować. W mniejszym już stopniu uznają swoich religijnych sterników — ajatollachów, a w jeszcze mniejszym — szachów. O ile Wyczekiwany jest przedmiotem kultu, jest Wielbiony, to szach mógł być zaledwie Tolerowany.

Od czasu Safavidów w Iranie istniała swoista dwuwładza — monarchii i Kościoła. Stosunki między obu siłami są różne, nigdy nazbyt przyjazne. Jeśli jednak równowaga tych sił zostaje naruszona, jeśli szach stara się narzucić władzę totalną (w dodatku z pomocą obcych protektorów), wówczas lud gromadzi się w meczetach i rozpoczyna walkę. Meczet jest dla szyitów czymś więcej niż miejscem kultu, jest także przystanią, w której można przetrwać burzę, a nawet uratować życie. Jest to teren chroniony immunitetem, władza nie ma tam wstępu. W Iranie istniał dawniej obyczaj, że jeśli buntownik ścigany przez policję schronił się w meczecie — był uratowany, stąd nikt już siłą nie mógł go wyciągnąć. Nawet w konstrukcji kościoła chrześcijańskiego i meczetu można dostrzec istotne różnice. Kościół jest pomieszczeniem zamkniętym, miejscem modlitwy, skupienia i ciszy. Jeżeli ktoś zacznie rozmawiać, inni zwrócą mu uwagę. W meczetach jest inaczej. Największą część obiektu stanowi otwarty dziedziniec, na którym można modlić się, ale także spacerować i dyskutować, a nawet odbywać wiece. Toczy się tutaj bujne życie towarzyskie i polityczne. Irańczyk, którego poganiają w pracy, który w urzędach spotyka tylko burkliwych biurokratów wyciągających od niego łapówki, którego wszędzie śledzi policja, przychodzi do meczetu, żeby odnaleźć równowagę i spokój, żeby odzyskać swoją godność. Tutaj nikt go nie popędza, nikt go nie wyzywa. Tutaj znikają hierarchie, wszyscy są równi, są braćmi, a ponieważ meczet jest też miejscem rozmowy, miejscem dialogu, człowiek może zabrać głos, wypowiedzieć swoje zdanie, ponarzekać i posłuchać, co mówią inni. Jakaż to ulga i jakże jest to każdemu potrzebne! Dlatego w miarę jak dyktatura zaciska obręcz i coraz większe milczenie zapada w pracy i na ulicy, meczety zapełniają się ludźmi i gwarem. Nie wszyscy, którzy tu przychodzą, są gorliwymi muzułmanami, nie wszystkich sprowadza nagły przypływ pobożności; przychodzą, ponieważ chcą odetchnąć, chcą poczuć się ludźmi. Na terenie meczetu nawet Savak ma ograniczone pole działania. Co prawda aresztują i torturują wielu kapłanów, tych, którzy otwarcie potępiają nadużycia władzy. Ginie w torturach ajatollach Saidi.

Umarł w czasie przypalania go na elektrycznym stole. Aja-tollach Azarshari umiera w kilka chwil potem, kiedy Sava-kowcy zanurzają go w kotle z wrzącym olejem. Ajatollach Teleghani wyjdzie z więzienia, ale już tak zmaltretowany, że będzie żyć krótko. Nie ma powiek. Savakowcy gwałcili w jego obecności córkę i Teleghani nie chcąc na to patrzeć zamykał oczy. Przypalali mu więc papierosami powieki, żeby miał je otwarte. Wszystko to dzieje się w latach sie-demdziesiątych naszego stulecia. Ale w swoim postępowa-niu wobec meczetu szach zaplątał się w nie lada sprzeczno-ści. Z jednej strony prześladuje duchowną opozycję, z dru-giej — ciągle zabiegając o popularność — głosi się poboż-nym muzułmaninem, stale odbywa pielgrzymki do świę-tych miejsc, pogrąża się w modlitwach i zabiega u mułłów o błogosławieństwo. Jakże więc wypowie otwartą wojnę meczetom?

Ale była też inna przyczyna, dla której meczety cieszą się względną swobodą. Amerykanie, którzy sterowali szachem (z czego dla monarchy wynikły same nieszczęścia, gdyż nie znali oni Iranu i nie rozumieli do końca, co się w nim dzie-je), uważają, że jedynym przeciwnikiem Mohammeda Rezy są komuniści, partia Tudeh. Przeciw więc komunistom kieruje się cały ogień Savaku. Ale komunistów w tym czasie jest niewielu, zostali zdziesiątkowani, wyginęli albo żyją na emigracji. Reżim jest tak zajęty ściganiem rzeczywistych i wymyślonych komunistów, iż nie dostrzega, że w zupełnie innym miejscu i pod innymi hasłami wyrosła siła, która obali dyktaturę.

Szyita odwiedza meczet również dlatego, że jest on zaw-sze w pobliżu, w sąsiedztwie, po drodze. W samym Tehera-nie jest tysiąc meczetów. Niewprawne oko turysty zauważy tylko kilka najbardziej okazałych. Tymczasem większość meczetów, zwłaszcza w biednych dzielnicach, to pomiesz-czenia ubogie, które trudno odróżnić od lichej zabudowy domków, w jakich gnieździ się świat plebejski. Są zbudowa-ne z tej samej gliny i tak wtopione w monotonny obraz uliczek i zaułków, że chodząc tamtędy mijamy wiele tych świątyń w ogóle ich nie zauważając. Stwarza to roboczy, intymny klimat między szyitą a jego meczetem. Nie trzeba robić kilometrowych wypraw, nie trzeba odświętnie się ubierać, meczet to codzienność, samo życie.

Pierwsi szyici, którzy docierali do Iranu, byli to ludzie miejscy, drobni kupcy i rzemieślnicy. Zamykali się w swoich gettach, gdzie budowali meczet, a obok stragany i sklepiki. W tym samym miejscu rzemieślnicy otwierali swoje warsztaty. Ponieważ muzułmanin powinien umyć się przed modlitwą, zaczęły tu działać również łaźnie. A ponieważ po modlitwie muzułmanin chce napić się herbaty albo kawy czy też zjeść — ma pod ręką także restauracje i kawiarnie. Tak powstaje fenomen irańskiego pejzażu miejskiego — bazar (bo tym słowem określa się to barwne, stłoczone, hałaśliwe, mistyczno-handlowo-konsumpcyjne miejsce). Jeśli ktoś mówi — idę na bazar, nie oznacza to, że musi brać ze sobą siatkę na zakupy. Na bazar można iść, żeby się pomodlić, żeby spotkać przyjaciół, załatwić jakiś interes, posiedzieć w kawiarni. Można pójść, żeby posłuchać plotek i wziąć udział w zebraniu opozycji. W jednym miejscu — na bazarze — nie potrzebując biegać po mieście, nie potrzebując nigdzie ruszać się, szyita zaspokaja wszystkie potrzeby ciała i ducha. Tu znajdzie to, co jest niezbędne do ziemskiej egzystencji, i tu również, przez modły i ofiary, zapewnia sobie żywot wieczny.

Najstarsi kupcy, najbardziej utalentowani rzemieślnicy oraz mułłowie bazarowego meczetu tworzą elitę bazaru. Ich wskazań i opinii słucha cała społeczność szyicka, gdyż oni decydują o życiu na ziemi i w niebie. Jeżeli bazar ogłosi strajk i zamknie swoje bramy — ludzie umrą z głodu i nie będą też mieli dostępu do miejsca, w którym mogą pokrzepić ducha. Dlatego sojusz meczetu z bazarem jest największą siłą, która zdolna jest rozprawić się z każdą władzą. Tak też było w wypadku ostatniego szacha. Kiedy bazar wydał na niego wyrok, los monarchy był przesądzony.

W miarę jak walka przybierała na sile, szyici czuli się coraz bardziej w swoim żywiole. Talent szyity przejawia się w walce, a nie w pracy. Urodzeni malkontenci i kontestatorzy, ludzie wielkiej godności i honoru, niezmordowani opozycjoniści, stając do boju znaleźli się znowu na znanym sobie gruncie.

Dla Irańczyków szyityzm był zawsze tym, czym dla naszych konspiratorów w dobie powstańczej szabla przechowywana za belką na strychu. Jeżeli życie było w miarę znośne, a siły jeszcze nie zorganizowane, szabla leżała w ukryciu owinięta w naoliwione szmaty. Ale kiedy rozległ się sygnał bojowy, kiedy przychodziła pora, żeby stawać w potrzebie, słyszało się skrzypienie schodów prowadzących na strych, a potem tętent koni i świst ostrza przecinającego powietrze.

Z notatek (7)

Mahmud Azari wrócił do Teheranu z początkiem roku 1977. Osiem lat mieszkał w Londynie utrzymując się z przekładów książek dla różnych wydawnictw i tłumaczeń doraźnych tekstów dla agencji reklamowych. Był starszym, samotnym mężczyzną, który poza pracą lubił spędzać czas na spacerach i rozmowach ze swoimi rodakami. W czasie tych spotkań dyskutowano głównie o trudnościach, jakie przeżywają Anglicy, gdyż nawet w Londynie Savak był instytucją wszechobecną, należało więc unikać rozmów na tematy krajowe.

Pod koniec pobytu otrzymał z Teheranu kilka listów od brata, przekazanych drogą prywatną. Nadawca zachęcał go do powrotu pisząc, że zbliżają się ciekawe czasy. Mahmud bał się ciekawych czasów, ale w ich rodzinie brat miał zawsze nad nim władzę, dlatego spakował walizki i wrócił do Teheranu.

Nie mógł poznać miasta.

Spokojna niegdyś, pustynna oaza przemieniła się w ogłuszające rojowisko. Pięć milionów tłoczących się ludzi usiłowało coś robić, coś mówić, gdzieś jechać, coś jeść. Milion samochodów gniotło się w wąskich uliczkach, a ich ruch redukował się do zera, gdyż kolumna jadąca w jednym kierunku zderzała się z kolumną jadącą w kierunku przeciwnym, na domiar jedna i druga były atakowane, przecinane, dziesiątkowane przez kolumny nacierające z boku, z prawa i z lewa, z północnego wschodu i południowego zachodu tworząc gigantyczne, dymiące i huczące rozgwiazdy uwięzione w ciasnych zaułkach jak w klatkach. Tysiące syren samochodowych wyło od świtu do nocy bez żadnego sensu i pożytku.

Zauważył, że ludzie tak kiedyś spokojni i uprzejmi teraz kłócą się przy lada okazji, wybuchają złością z byle powodu, skaczą sobie do gardeł, wrzeszczą i złorzeczą. Ci ludzie przypominali mu jakieś dziwne, surrealistyczne, rozdwojone monstra, których jedne człony gięły się usłużnie przed kimś ważnym i władnym, a drugie w tym samym czasie deptały i młóciły kogoś słabego. Widocznie zyskiwało się dzięki temu jakąś wewnętrzną równowagę, co prawda żałosną i nikczemną, ale potrzebną dla utrzymywania się na powierzchni i przetrwania.

Opadły go obawy, czy stykając się po raz pierwszy z takim monstrum będzie w stanie przewidzieć, które człony zareagują pierwsze — gnące się czy depczące. Ale wkrótce stwierdził, że depczące są bardziej aktywne, jakby stale wyrywające się do przodu, i że cofają się tylko pod naciskiem ważnych okoliczności.

W czasie pierwszego spaceru poszedł do parku. Usiadł na ławce, którą zajmował jakiś mężczyzna, i usiłował nawiązać z nim rozmowę. Ale ten wstał bez słowa i odszedł pospiesznie. Ponowił próbę zagadując po chwili innego przechodnia. Ów spojrzał na niego tak wystraszonym wzrokiem, jakby zobaczył pomyleńca. Dał mu więc spokój i postanowił wrócić do hotelu, w którym zatrzymał się tuż po przyjeździe.

W recepcji zaspany, opryskliwy typ powiedział mu, że ma zgłosić się na policję. Po raz pierwszy od ośmiu lat odczuł strach i w tym momencie zdał sobie sprawę, że jest to uczucie, które nigdy się nie starzeje; to samo nagłe przyłożenie bryły lodu do nagich pleców, tak dobrze pamiętane z dawnych lat, ta sama ociężałość w nogach.

Policja zajmowała obskurny, zatęchły budynek na końcu tej samej ulicy, przy której stał hotel. Mahmud ustawił się w długiej kolejce ponurych, apatycznych ludzi. Po drugiej stronie balustrady siedzieli policjanci i czytali gazety. W dużym, zatłoczonym pomieszczeniu panowała zupełna cisza: policjanci zajęci byli czytaniem, a nikt z kolejki nie odważył się powiedzieć słowa. Nie wiadomo z jakiego powodu zaczęło się nagle urzędowanie. Policjanci szurali teraz krzesłami, grzebali w szufladach i strofowali petentów klnąc w sposób najbardziej ordynarny.

Skąd wszędzie tyle chamstwa? zastanawiał się strwożony Mahmud. Kiedy przyszła jego kolej, otrzymał ankietę, którą musiał wypełnić na miejscu. Wahał się przy każdej rubryce i zauważył, że wszyscy przyglądają mu się podejrzliwie. Przerażony, zaczął pisać nerwowo, niezgrabnie, jakby był półanalfabetą. Poczuł, że pot występuje mu na czoło, i kiedy stwierdził, że zapomniał chusteczki, spocił się jeszcze bardziej.

Po złożeniu ankiety wyszedł pospiesznie i idąc zamyślony ulicą zderzył się z jakimś przechodniem. Tamten zaczął mu głośno wymyślać. Zatrzymało się kilka osób. W ten sposób Mahmud spowodował wykroczenie, ponieważ swoim zachowaniem wywołał zbiegowisko. Było to sprzeczne z prawem, które zabraniało tworzenia wszelkich nieautoryzowanych zgromadzeń. Nadszedł policjant. Mahmud musiał długo tłumaczyć, że chodziło o przypadkowe zderzenie i że w czasie całego zajścia nie wznoszono okrzyków przeciw monarchii. Mimo to policjant spisał jego personalia i wziął do kieszeni tysiąc rialsów.

Wrócił do hotelu zgnębiony. Uświadomił sobie, że jest

już zapisany, a nawet — zapisany podwójnie. Zaczął rozmyślać, co się stanie, jeżeli te zapisy gdzieś się spotkają. Potem pocieszył się, że wszystko — być może — zginie w bezdennym bałaganie.

Rano przyszedł brat i po wstępnych powitaniach Mahmud powiedział mu, że został już zapisany. Czy nie będzie rozsądniej, spytał, jeżeli wróci do Londynu. Brat kierował kiedyś poważnym wydawnictwem, które zostało zniszczone przez Savak. Savak cenzurował książki dopiero po wydrukowaniu całego nakładu. Jeżeli książka budziła podejrzenia, wszystkie egzemplarze musiały być oddane na przemiał, a koszty ponosił wydawca. W ten sposób zrujnowano większość wydawnictw. Inne, w kraju zamieszkanym przez trzydzieści pięć milionów ludzi, bały się ryzykować nakład większy niż tysiąc egzemplarzy. Bestseller Wielkiej Cywilizacji — „Jak dbać o swój samochód" — ukazał się w piętnastu tysiącach egzemplarzy, ale na tym zakończono druk, gdyż w rozdziałach o zepsutym silniku, złej wentylacji i wyładowanym akumulaturze Savak dopatrzył się aluzji do sytuacji w rządzie.

Brat chciał z nim porozmawiać, ale pokazując na żyrandol, telefon, gniazdka kontaktów i lampkę nocną powiedział, żeby wyszli z pokoju, i zaprosił go na wycieczkę podmiejską. Ruszyli starym, zniszczonym samochodem w stronę gór. Zatrzymali się na pustej drodze. Był marzec, wiał lodowaty wiatr i wszędzie leżał śnieg. Stali schowani za wysokim głazem i dygotali z zimna.

(„Wtedy brat powiedział mi, że muszę zostać, bo zaczęła się rewolucja i będę potrzebny. Jaka rewolucja, spytałem, tyś oszalał? Bałem się wszelkich zamieszek, w ogóle nie znoszę polityki. Codziennie ćwiczę jogę, czytam poezje i tłumaczę. Po co mi polityka? Ale brat stwierdził, że niczego nie rozumiem, i zaczął wyjaśniać sytuację. Punktem wyjścia, powiedział, jest Waszyngton, tam rozstrzygają się nasze losy. Właśnie w Waszyngtonie Jimmy Carter mówi teraz o prawach człowieka. Szach nie może tego ignorować!

Musi zaprzestać tortur, wypuścić część ludzi z więzienia i stworzyć bodaj pozory demokracji. A to nam na początek wystarczy! Brat był bardzo przejęty, uciszałem go, mimo że w okolicy nie było żywego ducha. Podczas tego spotkania dał mi maszynopis liczący ponad dwieście stron. Był to memoriał naszego pisarza Ali Asqara Dżawadi — list otwarty do szacha. Dżawadi pisał w nim o panującym kryzysie, o zależności kraju i skandalach monarchii. O korupcji, inflacji, represjach i upadku moralnym. Brat powiedział, że dokument ten krąży potajemnie z rąk do rąk i że dzięki odpisom istnieje coraz więcej kopii. Teraz, dodał, czekamy, jak zareaguje szach. Czy Dżawadi pójdzie do więzienia, czy nie. Na razie dostaje pogróżki telefoniczne, ale na tym się kończy. Bywa w kawiarni, będziesz mógł z nim porozmawiać. Odparłem jednak, że boję się spotkań z człowiekiem, którego na pewno obserwują".)

Wrócili do miasta. Mahmud, zamknąwszy się w pokoju, przez całą noc czytał memoriał. Dżawadi oskarżał szacha o zniszczenie ducha narodu. Wszelka myśl, pisał, jest tępiona, a najbardziej światli ludzie skazani na milczenie. Kultura znalazła się za kratami albo musiała zejść do podziemia. Ostrzegał, że postępu nie można mierzyć ilością czołgów i maszyn. Miarą postępu jest człowiek, jego poczucie godności i wolności. Mahmud czytał nasłuchując, czy ktoś nie idzie korytarzem.

Następnego dnia martwił się, co zrobić z maszynopisem. Wziął go ze sobą, nie chcąc zostawić w pokoju. Jednakże idąc ulicą uświadomił sobie, że taki plik papieru może wzbudzić podejrzenie. Kupił gazetę i włożył memoriał do środka. Mimo to obawiał się, że w każdej chwili będzie zatrzymany i poddany rewizji. Najgorzej było w recepcji. Nie miał wątpliwości, że musieli tam zwrócić uwagę na pakunek, który zawsze trzymał pod pachą. Na wszelki wypadek postanowił ograniczyć wyjścia i powroty.

Stopniowo zaczął odnajdywać dawnych przyjaciół, kolegów z lat studenckich. Niestety, część już nie żyła, wielu przebywało na emigracji, a kilku w więzieniach. W końcu jednak ustalił szereg aktualnych adresów. Poszedł na uniwersytet, gdzie spotkał Alego Kaidi, z którym kiedyś odbywali wspólnie górskie wycieczki. Kaidi był teraz profesorem botaniki, specjalistą od roślin twardolistnych. Mahmud ostrożnie zapytał go o sytuację w kraju. Pomyślawszy chwilę Kaidi odpowiedział, że od lat zajmuje się wyłącznie roślinami twardolistnymi. Potem zaczął rozwijać ten temat mówiąc, iż obszary, na których występują rośliny twardolistne, wyróżniają się swoistym klimatem. Zimą padają tam deszcze, natomiast lata są suche i gorące. Zimą, wyjaśniał, najlepiej rozwijają się gatunki efemeryczne, czyli terofity i geofity, natomiast latem raczej kserofity, gdyż mają one zdolność ograniczania transpiracji. Mahmud, któremu te określenia nic nie mówiły, zapytał kolegę ogólnikowo, czy można tu oczekiwać wielkich wydarzeń. Kaidi zamyślił się znowu, a po chwili zaczął mówić o wspaniałej koronie, jaką ma cedr atlantycki (Cedrus atlantica). Ale, ożywił się, ostatnio badałem rosnący u nas cedr himalajski (Cedrus deodara) i muszę powiedzieć z radością, że jest jeszcze piękniejszy!

Innego dnia spotkał kolegę, z którym jeszcze w szkole próbowali wspólnie napisać dramat. Kolega był teraz merem miasta Karadż. Pod koniec obiadu, który na zaproszenie mera jedli w dobrej restauracji, Mahmud zapytał go o nastroje społeczeństwa. Mer nie chciał jednak wykroczyć poza sprawy swojego miasta. W Karadżu, powiedział, asfaltują teraz główne ulice. Zaczęli budować kanalizację, której nie ma nawet Teheran. Lawina cyfr i terminów przygniotła Mahmuda, poczuł niestosowność swojego pytania. Postanowił jednak nie ustępować i spytał kolegę, o czym najczęściej rozmawiają mieszkańcy jego miasta. Tamten zastanowił się. Bo ja wiem? o swoich sprawach. Ci ludzie nie myślą, jest im wszystko jedno, są leniwi, apolityczni, dbają tylko o własne podwórko. Sprawy Iranu! Co ich to obchodzi? I dalej już mówił i mówił, jak zbudowali fabrykę paraldehydu i że zarzucą paraldehydem cały kraj. Ale Mahmud nie wiedział, co ta nazwa oznacza, i poczuł się ignorantem, człowiekiem, który pozostał w tyle. W ogóle nie masz zmartwień? spytał zdumiony kolegę. A jakże! powiedział tamten i nachylając się nad stolikiem dodał ściszonym głosem — produkcja tych nowych fabryk nadaje się do wyrzucenia. Tandeta i szmelc. Ludzie nie chcą pracować, wszystko robią byle jak. Wszędzie jakaś apatia, jakiś nieokreślony opór. Cały kraj siedzi na mieliźnie. Ale dlaczego? zapytał Mahmud. Nie wiem, odparł kolega prostując się i kiwając na kelnera, trudno mi powiedzieć, i Mahmud zgnębiony zauważył, że szczera dusza niedoszłego, szkolnego dramaturga wyłoniwszy się na moment, żeby wygłosić tych kilka niezwykłych słów, szybko ukryła się znowu za barykadą generatorów, transporterów, przekaźników i kluczy nasadkowych.

(„Dla tych ludzi konkret stał się azylem, kryjówką, nawet zbawieniem. Cedr, tak, to jest konkret, asfalt — to też konkret. Na temat konkretu wolno zawsze zabrać głos, wypowiedzieć się jak najbardziej swobodnie. Zaletą konkretu jest to, że ma on swoją wyraźnie zakreśloną granicę uzbrojoną w dzwonki alarmowe. Jeżeli umysł zajęty konkretem zacznie zbliżać się do tej granicy, dzwonki ostrzegą go, że poza jej obrębem rozpościera się pole ryzykownych myśli ogólnych, niepożądanych refleksji i syntez. Na dźwięk tego sygnału przezorny umysł cofnie się i ponownie pogrąży się w konkret. Cały ten proces możemy zaobserwować patrząc na twarz naszego rozmówcy. Oto rozprawia on w sposób wielce ożywiony podając liczby, procenty, nazwy i daty. Widzimy, że siedzi mocno osadzony w konkrecie, jak w siodle. Wówczas zadajemy mu pytanie — no dobrze, ale dlaczego ludzie są jacyś tacy nie bardzo, powiedzmy, zadowoleni. W tym momencie widzimy, jak zmienia się twarz rozmówcy [odezwały się w nim dzwonki alarmowe, uwaga! za chwilę przekroczysz granicę konkretu]. Rozmówca milknie i gorączkowo szuka wyjścia z sytuacji, którym

103

jest, oczywiście, cofnięcie się w konkret. Zadowolony, że uniknął potrzasku, że nie dał się złapać, oddychając z ulgą znowu z ożywieniem rozprawia, peroruje, miażdży nas konkretem, którym może być przedmiot, rzecz, stwór albo zjawisko. Jedną z cech konkretu jest to, że sam w sobie nie ma właściwości łączenia się z innymi konkretami i spontanicznego tworzenia obrazów ogólnych. Na przykład konkret negatywny może istnieć obok innego konkretu negatywnego, ale nie utworzą one połączonego obrazu, dopóki nie zespoli je myśl ludzka. Myśl ta jednak, zatrzymywana sygnałem alarmowym na granicy każdego konkretu, nie może wypełnić swojego zadania i dlatego odrębne konkrety negatywne mogą żyć przez długi czas nie układając się w żadną niepokojącą panoramę. Jeżeli uda się doprowadzić do tego, że każdy człowiek zamknie się w granicach swojego konkretu, wówczas powstaje społeczeństwo zatomizowane, składające się z n-tej liczby konkretnych jednostek niezdolnych do połączenia się w zgodnie działającą wspólnotę".)

Mahmud postanowił jednak oderwać się od spraw przyziemnych i poszybować w krainę wyobraźni i wzruszeń. Odszukał kolegę, o którym wiedział, że stał się uznanym poetą. Hasan Rezvani przyjął go w luksusowej, nowoczesnej willi. Siedzieli w starannie utrzymanym ogrodzie nad brzegiem basenu (zaczęło się już gorące lato) i popijali z oszronionych szklanek gin and tonic. Hasan skarżył się, że odczuwa zmęczenie, ponieważ wczoraj właśnie wrócił z podróży do Montrealu, Chicago, Paryża, Genewy i Aten. Jeździł wygłaszać odczyty o Wielkiej Cywilizacji, o Rewolucji Szacha i Narodu. Przykre zajęcie, wyznał, ponieważ gnębili go hałaśliwi wywrotowcy, którzy przeszkadzali mówić i nie szczędzili wyzwisk. Hasan pokazał Mahmudowi swój nowy tomik wierszy, które poświęcił szachowi. Pierwszy wiersz nosił tytuł „Gdzie spojrzy, tam zakwitną kwiaty". Jeżeli, mówił wiersz, szach tylko rzuci okiem, zaraz wyrośnie tam i zakwitnie goździk albo tulipan.

Natomiast gdzie spojrzy dłużej,
tam zakwitną róże.

Inny wiersz nosił tytuł „Gdzie stanie, tam tryśnie źródło". W wierszu tym autor zapewniał, że tam, gdzie stanie
noga monarchy, wytryśnie źródło krystalicznej wody.

A jeśli szach zatrzyma się i poczeka,
wytryśnie rzeka.

Wiersze były czytane w radio i na akademiach. Sam monarcha wyrażał się o nich bardzo pochlebnie, a Hasanowi
przyznano stypendium Fundacji Pahlavi.

Jednego razu idąc ulicą Mahmud zobaczył stojącego pod
drzewem człowieka. Kiedy podszedł bliżej, poznał (choć
z trudem), że był to Mohsen Dżalaver, z którym razem de-
biutowali kiedyś w studenckim pisemku. Mahmud wiedział, że Mohsen był katowany i więziony, ponieważ ukry-
wał w swoim mieszkaniu przyjaciela-mudżahedina. Zatrzymał się i chciał podać mu rękę. Tamten spojrzał na niego
nieobecnym wzrokiem. Mahmud przypomniał mu swoje
nazwisko. Mohsen nie ruszając się odpowiedział — jest mi
to obojętne. Stał dalej skulony i patrzył w ziemię. Chodźmy
gdzieś, powiedział Mahmud, chciałbym porozmawiać. Jest
mi to obojętne, powtórzył tamten ciągle nieruchomy, z opu-
szczoną głową. Mahmud poczuł, że robi mu się zimno.
Słuchaj, próbował jeszcze, a może umówimy się na inny
dzień? Mohsen nie odpowiedział, tylko nagle skulił się
jeszcze bardziej, a potem odezwał się cicho, stłumionym
szeptem — zabierz szczury.

W jakiś czas potem Mahmud wynajął w śródmieściu
skromne mieszkanie. Jeszcze rozpakowywał walizki, kiedy
przyszło do niego trzech mężczyzn i witając go jako nowego mieszkańca dzielnicy zapytało, czy jest członkiem partii
szacha — Rastakhiz. Mahmud odpowiedział, że nie, ponieważ dopiero wrócił po kilku latach spędzonych w Europie.
To wzbudziło ich podejrzenie, albowiem ci, co mogli, raczej

wyjeżdżali, niż wracali. Zaczęli wypytywać o powód jego powrotu, a jeden z przybyłych notował wszystko w zeszycie. Mahmud stwierdził ze zgrozą, że w ten sposób będzie już zapisany po raz trzeci. Przybysze wręczyli mu deklarację członkowską, ale Mahmud odparł, że nie chce się zapisać, gdyż był całe życie człowiekiem apolitycznym. Mężczyźni spojrzeli na niego z osłupieniem, gdyż — musieli uświadomić sobie — nowy lokator nie wiedział, co mówi. Dali mu więc do przeczytania ulotkę, na której dużymi literami wydrukowane były słowa szacha: „Ci, którzy nie będą należeć do partii Rastakhiz, są albo zdrajcami, dla których miejsce jest w więzieniu, albo nie wierzą w Szacha, Naród i Ojczyznę i dlatego nie powinni oczekiwać, że będą traktowani na równi z innymi". Mahmud wykazał jednak na tyle odwagi, że poprosił o dzień zwłoki tłumacząc, że musi porozumieć się z bratem.

Brat powiedział — nie masz innego wyjścia. Wszyscy należymy! Cały naród jak jeden mąż musi należeć. Mahmud wrócił do domu i w czasie wizyty, jaką złożyli mu aktywiści, zgłosił akces do partii. W ten sposób został bojownikiem Wielkiej Cywilizacji.

Wkrótce otrzymał zaproszenie do siedziby Rastakhizu mieszczącej się nie opodal jego domu. Odbywało się tam zebranie twórców, którzy swoimi dziełami mieli uczcić trzydziestą siódmą rocznicę wstąpienia monarchy na tron. Wszystkie rocznice związane z osobą szacha i jego największymi dokonaniami — Białą Rewolucją i Wielką Cywilizacją — były obchodzone uroczyście i szumnie, całe życie imperium toczyło się od rocznicy do rocznicy w namaszczonym, ozdobnym i dostojnym rytmie. Niezliczone sztaby ludzi czuwały z kalendarzem w ręku, aby nie przeoczyć dnia urodzin monarchy, jego ostatniego ślubu, koronacji, przyjścia na świat następcy tronu i dalszych szczęśliwie zrodzonych potomków. A do świąt tradycyjnych dopisywano ciągle nowe i nowe. Ledwie skończyła się jedna rocznica, a już przygotowywano następną, już czuło się w atmosferze gorączkę i podniecenie, ustawała wszelka praca, wszyscy szykowali się na kolejny dzień, który upłynie wśród hucznego bankietowania, wyróżnień, gratulacji i wzniosłej liturgii. Tym razem w czasie zebrania omawiano projekty nowych pomników szacha, jakie miały być odsłonięte w dniu rocznicowym. Na sali siedziało około stu osób, a przewodniczący zwracając się do nich za każdym razem podkreślał, że są wybitni. Jednakże żadne z wymienionych nazwisk nic Mahmudowi nie mówiło. Kim są ci, spytał Mahmud sąsiada, którzy siedzą z przodu w atłasowych fotelach? Są to szczególnie wyróżnieni, odszeptał sąsiad, kiedyś otrzymali od szacha jego książkę z własnoręcznym podpisem.

Przewodniczącym zebrania był rzeźbiarz Kurush Lashai, którego Mahmud poznał kiedyś w Londynie. Lashai spędził wiele lat w Londynie i Paryżu usiłując zrobić tam karierę artystyczną. Jednak nic mu nie wychodziło, nie miał talentu i nie zdobył uznania. Po serii niepowodzeń zawiedziony, urażony wrócił do Teheranu. Ale jako człowiek ambitny nie mógł zgodzić się na porażkę, szukał rekompensaty. Wstąpił do Rastakhizu i od tej chwili zaczął wspinać się w górę i w górę. Wkrótce został głównym jurorem Fundacji Pahlavi, zaczął decydować o nagrodach, uchodził za teoretyka realizmu imperialnego. Uważano, że słowo Lashaia rozstrzyga o wszystkim, krążyła fama, że jest doradcą szacha od spraw kultury.

Kiedy Mahmud wychodził z zebrania, podszedł do niego pisarz i tłumacz Golam Qasemi. Nie widzieli się wiele lat — Mahmud mieszkał za granicą, a Golam siedział w kraju pisząc opowiadania sławiące Wielką Cywilizację. Żył wyśmienicie, miał wolny wstęp do pałacu, jego książki ukazywały się w skórzanych okładkach. Golam chciał mu coś ważnego powiedzieć i siłą zaciągnął go do ormiańskiej kawiarni, gdzie rozłożył na stoliku jakiś tygodnik i z dumą w głosie powiedział — zobacz, co udało mi się wydrukować! Był to jego przekład wiersza Paula Eluarda. Mahmud rzucił okiem na wiersz i spytał — no i cóż w tym takiego?

107

Jak to, oburzył się Golam, nic nie rozumiesz? Przeczytaj uważnie. Mahmud uważnie przeczytał, ale jeszcze raz zapytał — no i cóż w tym niezwykłego? Z czegoś taki dumny? Człowieku, pienił się Golam, czy ty oślepłeś? Popatrz —

Nastała pora smutku, noc czarna jak z sadzy,
Że i ślepych nie godzi się wypędzać z domu.

Czytając podkreślał paznokciem na papierze każde słowo. Ile kosztowało mnie zabiegów, wołał podniecony, żeby to wydrukować, żeby przekonać Savak, że to może się ukazać! W tym kraju, gdzie wszystko musi tchnąć optymizmem, kwitnąć, uśmiechać się, raptem — „nastała pora smutku"! Możesz to sobie wyobrazić? Golam miał minę zwycięzcy, szczycił się swoją odwagą.

Dopiero w tym momencie, patrząc na skurczoną, przebiegłą twarz Golama, Mahmud po raz pierwszy uwierzył w nadciągającą rewolucję. Zdawało mu się, że nagle zrozumiał całą sprawę. Golam przeczuwa zbliżającą się katastrofę. Rozpoczął swoje chytre manewry, zmienia front, próbuje oczyścić się, składa daninę nacierającej sile, której groźne kroki już odbijają się głuchym echem w jego strwożonym i osaczonym sercu. Na razie na szkarłatną poduszkę, na której siada szach, Golam ukradkiem podłożył pinezkę. Nie jest to bomba wybuchowa, nie. Szach od tego nie zginie, natomiast Golam poczuje się lepiej — wystąpił przeciw! Będzie teraz pokazywać tę pinezkę, opowiadać o niej, szukać wśród najbliższych uznania i pochwał, cieszyć się, że okazał niezależność.

Ale wieczorem opadły Mahmuda dawne wątpliwości. Spacerowali z bratem po pustoszejących ulicach. Mijali znużone, wygasłe twarze. Zmęczeni przechodnie spieszyli się do domów albo stali w milczeniu na przystankach. Jacyś mężczyźni siedzieli pod murem, drzemali opierając głowy na kolanach. Kto będzie robić tę twoją rewolucję? spytał Mahmud pokazując ich ręką. Przecież tu wszyscy śpią. Ci sami ludzie, odpowiedział brat. Ci sami, których tu widzisz.

Pewnego dnia wyrosną im skrzydła. Ale Mahmud nie umiał sobie tego wyobrazić.

(„Jednakże wczesnym latem sam zacząłem odczuwać, że coś się zmienia, coś odżywa w ludziach, w powietrzu. Bardzo nieokreślony to nastrój, trochę jak budzenie się z męczącego snu. Na razie Amerykanie zmusili szacha, aby uwolnił z więzienia część intelektualistów. Szach jednak kręcił, jednych wypuszczał, innych zamykał. Ale najważniejsze, że musiał choćby na krok ustąpić, że w twardym systemie pojawiło się pierwsze pęknięcie, pierwsza szczelina. Wykorzystała to grupa ludzi, którzy chcieli odrodzić Organizację Pisarzy Iranu. Szach rozwiązał ją w roku sześćdziesiątym dziewiątym. W ogóle wszelkie, najbardziej niewinne organizacje były zakazane. Istniał tylko Rastakhiz albo meczet. Tertium non datur. Ale rząd nadal nie zgadzał się, aby literaci mieli swój związek. Wobec tego zaczęły się tajne zebrania w domach prywatnych, najczęściej w starych dworkach pod Teheranem, gdyż tam można się było najlepiej zakonspirować. Zebrania te nazywały się wieczorami kulturalnymi. Najpierw czytano poezje, a potem rozwijała się dyskusja o bieżącej sytuacji. W dyskusjach mówiono, że cały wymyślony przez szacha i jemu służący program rozwoju zawalił się ostatecznie, że wszystko przestaje funkcjonować, że rynek pustoszeje, a życie jest coraz droższe, że czynsze mieszkaniowe pochłaniają trzy czwarte zarobku, że nieudolna, ale chciwa elita rozgrabia kraj, że obce firmy wywożą ogromne pieniądze, że połowę dochodów z nafty zjadają bezmyślne zbrojenia. O tym wszystkim mówiło się coraz bardziej otwarcie i donośnie. Pamiętam, że na jednym z tych wieczorów zobaczyłem po raz pierwszy ludzi, którzy ostatnio wyszli z więzienia. Byli to pisarze, naukowcy, studenci. Wpatrywałem się w ich twarze, chciałem dostrzec, jaki ślad zostawia na człowieku wielki strach i wielkie cierpienie. Odniosłem wrażenie, że w ich zachowaniu było coś nienormalnego. Poruszali się niepewnie oszołomieni światłem i obecnością innych. W stosunku do otoczenia zachowywali czujny dystans, jakby w obawie, że zbliżenie innego człowieka może skończyć się dla nich biciem. Jeden z nich wyglądał okropnie, miał blizny od poparzeń na twarzy i dłoniach, chodził o lasce. Był studentem wydziału prawa, w czasie rewizji znaleziono u niego ulotki fedainów. Pamiętam, jak opowiadał, że Savakowcy wprowadzili go do dużej sali, gdzie jedna ściana była rozpalonym do białości żelazem. Na podłodze leżały szyny, na szynach stało na kółkach metalowe krzesło, do którego przywiązywali go rzemieniami. Savakowiec nacisnął guzik i krzesło zaczęło posuwać się w stronę rozpalonej ściany. Był to powolny, skokowy ruch, co minutę o trzy centymetry naprzód. Obliczył, że droga do ściany będzie trwała dwie godziny, ale już po godzinie nie mógł wytrzymać temperatury, zaczął krzyczeć, że przyzna się do wszystkiego, choć nie miał do czego przyznać się, te ulotki znalazł na ulicy. Wszyscy słuchaliśmy w milczeniu, student płakał. Pamiętam, że wołał — Boże, po coś mnie pokarał tym strasznym kalectwem, jakim jest myślenie! Dlaczego nauczyłeś mnie myśleć, zamiast nauczyć bydlęcej pokory! W końcu zasłabł, musieli wynieść go do drugiego pokoju. Jednakże inni, którzy wyszli z lochów, najczęściej milczeli, nie mówili słowa".)

Ale Savak szybko wytropił miejsca tych spotkań. Pewnej nocy, kiedy opuścili dworek i szli ścieżką w stronę szosy, Mahmud usłyszał nagle szelest w przydrożnych krzakach. Za moment zrobił się tumult, posłyszał krzyki, ciemność gwałtownie zgęstniała, poczuł potworne uderzenie w tył głowy. Zatoczył się, upadł twarzą na kamienną ścieżkę i stracił przytomność. Ocknął się w ramionach brata. Przez spuchnięte, zalane krwią oczy z trudem dostrzegł w ciemnościach jego szarą, potłuczoną twarz. Usłyszał jęki, ktoś wzywał pomocy, w pewnej chwili rozpoznał głos studenta, który musiał dostać szoku, bo gdzieś, jakby z głębi ziemi, powtarzał — dlaczego nauczyłeś mnie myśleć! Dlaczego pokarałeś mnie tym strasznym kalectwem! Mahmud widział teraz, jak komuś ze stojących przy nim zwisała złamana ręka, widział klęczącego obok człowieka, któremu z ust sączyła się krew. Powoli zaczęli posuwać się zwartą gromadą w stronę szosy umierając ze strachu, że zacznie się nowe katowanie.

Rano leżał w swoim łóżku z owiniętą głową i zeszytym czołem. Dozorca przyniósł mu gazetę, w której Mahmud przeczytał opis nocnego zajścia. „Ubiegłej nocy w pobliżu Kan wielokrotnie karane wyrzutki społeczeństwa zorganizowały w jednym z okolicznych dworków odrażającą orgię. Patriotyczna ludność miejscowa kilkakrotnie zwracała im uwagę na niestosowność i odpychający sposób ich zachowania. Jednakże rozwydrzony gang zamiast dostosować się do słusznych uwag miejscowych patriotów, rzucił się na nich używając kamieni i pałek. Zaatakowana ludność zmuszona była wystąpić w obronie własnej i przywrócić porządek panujący dotychczas w tamtych stronach!" Mahmud stękał, czuł, że ma gorączkę, dostawał zawrotów głowy.

Wieczorem odwiedził go brat. Był przejęty, podniecony. Nie patrząc na rany Mahmuda i jakby zapomniawszy o nocnej napaści, wyjął z teczki obszerny maszynopis i podsunął go choremu do czytania. Mahmud z trudem włożył okulary. Znowu list, powiedział zniechęcony i odłożył maszynopis, daj mi spokój! Ależ człowieku, upomniał go oburzony brat, przypatrz się dobrze, to poważna sprawa! I Mahmud, mimo obolałej głowy zmuszony do czytania, musiał po chwili przyznać, że była to rzeczywiście poważna i niezwykła sprawa. Miał przed sobą kopię listu, której trzej najbliżsi ludzie Mossadegha skierowali do szacha. Mahmud przeczytał podpisy — Karim Sandżabi, Szahpur Bakhtiar, Dariusz Foruhar. Wielkie nazwiska, pomyślał, wielkie autorytety. Wszyscy byli w różnych latach więźniami szacha, Bakhtiar był więźniem sześć razy.

„Od roku 1953 — czytał Mahmud — Iran żyje w atmosferze terroru i strachu. Wszelka opozycja jest łamana w zalążku a jeżeli wyjdzie na światło dzienne, jest topiona we krwi. Wspomnienie dni, kiedy można było dyskutować na ulicy, kiedy swobodnie sprzedawano książki, kiedy w okresie Mossadegha wolno było manifestować, stało się w miarę upływu lat coraz bardziej odległym snem, który zaciera się już w pamięci. Wszelka działalność, która choćby w najmniejszym stopniu budziła niechęć dworu, została zabroniona. Lud jest skazany na milczenie, nie wolno mu powiedzieć słowa, wyrazić opinii, podnieść protestu. Pozostała tylko jedna droga — walki podziemnej".

Mahmud zagłębił się w rozdział pt. „Alarmująca sytuacja ekonomiczna, społeczna i moralna Iranu". Była tam mowa o rozkładzie gospodarki, o straszliwych nierównościach społecznych, o zniszczeniu rolnictwa, o rozmyślnym ogłupianiu społeczeństwa i depresji moralnej, w jaką został zepchnięty naród. „Ale milczenia i pozornej rezygnacji ludu — czytał — nie należy tłumaczyć jako obojętności ani tym bardziej jako pogodzenia się z istniejącym stanem rzeczy. Sprzeciw może przybierać różne formy i tylko masy potrafią wybrać formę odpowiadającą danej sytuacji". List był utrzymany w stanowczym tonie, brzmiał jak ultimatum. Kończył się żądaniem reform, demokracji i wolności. Ci ludzie pójdą siedzieć, pomyślał obolały i wycieńczony Mahmud odkładając list i poczuł w skroniach ogień gorączki.

W kilka dni później przyszedł brat w towarzystwie mężczyzny, którego Mahmud nie znał. Był to robotnik z fabryki narzędzi w Karadżu. Mówił, że wszędzie jest coraz więcej strajków. Nigdy nie było ich tyle co w tym roku. Strajki są zakazane i tępione, powiedział, ale ludzie nie mają innego wyjścia, życie stało się nie do zniesienia. Savak kieruje związkami zawodowymi i rządzi fabryką, robotnik jest niewolnikiem. Płace rosną, ale ceny rosną jeszcze szybciej, coraz trudniej związać koniec z końcem. Jego silne ręce wykonały w powietrzu taki ruch, jakby chciały się spotkać, ale jakaś siła odepchnęła je od siebie. Powiedział, że robotnicy Karadżu ruszyli w stronę Teheranu, aby w ministerstwie pracy domagać się wyższych zarobków. Naprzeciw wyjechało wojsko i otworzyło do nich ogień. Po obu stronach drogi jest odkryta pustynia, nie było gdzie uciekać. Ci, którzy to przeżyli, wrócili zabierając poległych i rannych. Zginęło siedemdziesięciu ludzi, a dwustu odniosło rany. Miasto chodzi w żałobie i czeka na godzinę zemsty. Dni szacha są policzone, powiedział zdecydowanym głosem brat. Nie można latami masakrować bezbronnego narodu. Policzone? zdumiał się Mahmud unosząc zabandażowaną głowę. Straciłeś rozum? Widziałeś jego armię? Oczywiście, że brat widział, pytanie było retoryczne. Mahmud stale oglądał dywizje szacha w kinie i w telewizji. Parady, manewry, myśliwce, rakiety, lufy dział wymierzone prosto w serce Mahmuda. Patrzył z niechęcią na szeregi podstarzałych generałów wyprężających się z wysiłkiem przed monarchą. Ciekawe, myślał, jakby się zachowali, gdyby obok wybuchła prawdziwa bomba. Na pewno dostaliby zawału serca! Z każdym miesiącem ekran telewizora był coraz bardziej zatłoczony czołgami i moździerzami. Mahmud uważał, że jest to straszna siła, która złamie każdą przeszkodę, wszystko obróci w pył i w krew.

Zaczęły się letnie, upalne miesiące. Pustynia, która otacza od południa Teheran, dyszała żarem. Mahmud czuł się już dobrze i postanowił zażywać wieczornych spacerów. Od dawna po raz pierwszy wyszedł na ulicę. Było już późno. Krążył małymi, ciemnymi zaułkami w pobliżu gigantycznej, ponurej budowli, którą kończono w pośpiechu. Była to nowa siedziba Rastakhizu. Zdawało mu się, że widzi w ciemnościach poruszające się postacie i słyszy, że ktoś wychodzi z krzaków. Ale przecież tu nie ma żadnych krzaków, próbował się uspokoić. Mimo to, wystraszony, skręcił w najbliższą przecznicę. Poczuł, że boi się, choć wiedział, że jego lęk nie ma żadnej określonej przyczyny. Zrobiło mu się zimno i postanowił wrócić do domu. Szedł ulicą opadającą w dół, w stronę śródmieścia. Nagle posłyszał kroki idącego za nim człowieka. Zdumiał się, ponieważ był przekonany, że ulica jest pusta, że nie widział w pobliżu nikogo. Mimowolnie przyspieszył, ale ten z tyłu przyspieszył również. Jakiś czas szli noga w nogę, rytmicznie, jak dwaj wartownicy. Mahmud postanowił przyspieszyć jeszcze bardziej. Szedł teraz krótkim, ostrym krokiem. Tamten zrobił to samo, a nawet zaczął się zbliżać. Lepiej, jeżeli zwolnię, zdecydował Mahmud szukając wyjścia z pułapki. Ale strach był silniejszy niż rozsądek i Mahmud, żeby oderwać się od tamtego, wydłużył jeszcze krok. Czuł, że cierpnie mu skóra. Bał się tamtego sprowokować. Mahmud myślał, że w ten sposób odsuwa moment, w którym otrzyma uderzenie. Ale ten z tyłu był już zupełnie blisko, słyszał jego oddech, odgłos ich kroków odbijał się w tunelu ulicy jednym echem. Mahmud nie wytrzymał i zaczął biec. Wtedy tamten puścił się za nim w pościg. Mahmud pędził, jego marynarka powiewała w powietrzu jak czarna chorągiew. Raptem zdał sobie sprawę, że do tamtego przyłączają się inni, słyszał za sobą dziesiątki dudniących kroków, które posuwały się za nim z łoskotem nacierającej lawiny. Biegł dalej, ale zaczął tracić oddech, był mokry, nieprzytomny, poczuł, że za chwilę runie na ziemię.

Ostatkiem sił dopadł najbliższej bramy i uwiesił się na kratach opuszczonej żaluzji. Myślał, że zaraz pęknie mu serce. Miał wrażenie, że obca pięść przebiła mu żebra, wdarła się do środka i tam zadawała bolesne, ogłuszające ciosy, siała spustoszenie.

W końcu zaczął dochodzić do równowagi. Rozejrzał się. Na ulicy nie było żywej duszy, pod murem przemykał szary kot. Powoli, trzymając się za serce, Mahmud powlókł się do domu, rozbity, zgnębiony, pokonany.

(,,Wszystko zaczęło się od tej nocnej napaści wiosną, kiedy wychodziliśmy z zebrania. Odtąd już bałem się, czułem strach. Strach często atakował mnie w najbardziej nieoczekiwanym momencie, dopadał, kiedy byłem zupełnie nieprzygotowany. Było mi wstyd, ale nie umiałem sobie z tym poradzić. Bardzo zaczęło mi to przeszkadzać. Myślałem

114

z przerażeniem o tym, iż nosząc w sobie strach mimo woli jestem częścią systemu opartego na strachu. Tak jest, powstał jakiś straszliwy, ale nierozdzielny związek między mną a dyktatorem, jakaś patologiczna symbioza. Przez mój strach stałem się podporą systemu, którego nie cierpiałem. Szach mógł liczyć na mnie, to znaczy mógł liczyć na mój strach, na to, że lęk mnie nie zawiedzie, a tym samym, że ja nie zawiodę jego monarszej kalkulacji, tej mianowicie, iż na głos z góry odpowiem skurczem strachu. Tak, reżim opierał się na mnie, nie mogę tego się wyprzeć. Gdybym umiał pozbyć się lęku, podkopałbym fundament, na którym stał tron, przynajmniej podkopałbym w tej części, w jakiej mój lęk go podpierał i nawet tworzył, ale jeszcze nie umiałem tego zrobić".)

Przez całe lato czuł się źle, przyjmował obojętnie wieści, które przynosił mu brat.

Tymczasem wszyscy żyli już na wulkanie, każda iskra mogła rozniecić pożar. W mieście Kermanszah oszalały koń zaatakował ludzi. Jakiś wieśniak przyjechał nim do miasta i uwiązał do drzewa rosnącego na głównej ulicy. Koń wystraszył się samochodów, zerwał lejce i poranił kilka osób. W końcu zastrzelił go jakiś żołnierz. Wokół zabitego zwierzęcia zebrał się tłum. Przyszła policja i zaczęła rozpędzać zgromadzonych. W tłumie odezwał się jakiś głos — ale gdzie była policja, kiedy koń tratował ludzi? I zaczęła się bójka. Policjanci otworzyli ogień. Ale tłum narastał. Miasto wrzało, ludzie zaczęli ustawiać barykady. Przyjechało wojsko, komendant miasta ogłosił godzinę policyjną. Myślisz, że wiele brakowało, zapytał Mahmuda brat opowiadając mu to zdarzenie, żeby wybuchło tam powstanie? Ale ten, jak zawsze, uważał, że brat przesadza we wszystkim.

Na początku września idąc aleją Rezy Khana Mahmud zauważył na ulicy poruszenie. Przed głównym wejściem do uniwersytetu zobaczył z daleka ciężarówki wojskowe, hełmy, karabiny, żołnierzy w zielonych panterkach. Żołnierze łapali studentów i prowadzili ich do ciężarówek. Mahmud usłyszał krzyki, widział uciekających ulicą młodych ludzi. Tak wyglądała inauguracja roku akademickiego. Cofnął się i skręcił w boczną ulicę. Zobaczył przyklejoną do muru ulotkę, którą czytało kilku przechodniów. Była to kopia depeszy, którą adwokat Mostafa Bakher wysłał do premiera Amuzegara.

„Z pewnością wie Pan o tym, że w ciągu ostatnich dwudziestu lat kolejne rządy naruszając zasady wolności sprawiły, że nasze uniwersytety przestały być miejscem nauczania. Zostały one przekształcone w twierdze wojskowe otoczone zasiekami z drutów kolczastych i rządzone przez policję. Mogło to wywoływać tylko gniew i rozczarowanie młodych, myślących ludzi. Trudno więc dziwić się, że w ciągu tych lat uniwersytety w Teheranie i na prowincji były albo zamknięte, albo działały tylko częściowo".

Ludzie czytali ulotkę i rozchodzili się bez słowa.

Nagle rozległo się wycie syren i Mahmud zobaczył, jak ulicą przejeżdżają wojskowe ciężarówki pełne studentów. Stali na platformach otoczeni żołnierzami, ściśnięci, mieli ręce związane sznurami. Widocznie łapanka skończyła się i Mahmud postanowił pójść do brata, aby powiedzieć mu, że wojsko zrobiło na uniwersytecie obławę. W mieszkaniu brata zastał młodego mężczyznę, był to nauczyciel gimnazjalny Ferejdun Gandżi. Mahmud przypomniał sobie, że spotkał go pierwszy raz w czasie wieczoru kulturalnego, po którym pobiła ich policja. Brat wspominał kiedyś, że następnego dnia Gandżi zjawił się w szkole, ale dyrektor, który wcześniej już otrzymał telefon z Savaku, wyrzucił go z pracy krzycząc, że jest chuliganem i awanturnikiem, którego wstydzi się pokazać uczniom. Dłuższy czas był bezrobotny i błąkał się w poszukiwaniu zajęcia.

Brat zdecydował, że pójdą na bazar, aby zjeść obiad. W ciasnych i dusznych zaułkach w pobliżu bazaru Mahmud zauważył wielu młodych ludzi, którzy odurzeni opium szli chwiejąc się i zataczając. Niektórzy siedzieli na chodnikach patrząc przed siebie szklanym, niewidzącym wzrokiem. Inni zaczepiali przechodniów, wyzywali ich i grozili pięścią. Jak policja może to tolerować? spytał brata. Oczywiście że może, odparł brat, od czasu do czasu to towarzystwo staje się bardzo przydatne. Jutro dostaną parę groszy, dostaną pałki i pójdą bić studentów. Później prasa napisze o zdrowej, patriotycznej młodzieży, która na wezwanie partii dała odpór warcholom i mętom społecznym gnieżdżącym się w murach uniwersytetu. Weszli do restauracji i zajęli stolik na środku sali. Jeszcze czekali na kelnera, kiedy Mahmud zauważył, że przy sąsiednim stoliku siedzi dwóch krzepkich, rozleniwionych typów. Savakowcy! przebiegło mu przez myśl. Wiecie, powiedział do brata i Ferejduna, chodźmy bliżej drzwi. Zmienili miejsca, zaraz podszedł kelner. Ale w czasie, kiedy brat zamawiał dania, wzrok Mahmuda trafił na siedzących obok dwóch zalotnie ubranych przystojniaków, trzymających się za ręce. Savakowcy, którzy udają pedałów! pomyślał z lękiem i obrzydzeniem. Wolałbym usiąść pod oknem, zaproponował bratu, chcę zobaczyć, jak żyje bazar. Przeszli do nowego stolika. Ledwie jednak zaczęli jeść, kiedy na salę wkroczyło trzech mężczyzn. Bez słowa, jakby z góry mieli to ustalone, rozlokowali się przy tym samym oknie, z którego Mahmud miał widok na bazar. Jesteśmy obserwowani, odezwał się szeptem i jednocześnie zauważył skierowane w swoją stronę podejrzliwe spojrzenia kelnerów, których uwagę zwróciło, że Mahmud i jego towarzysze już trzeci raz zmienili miejsca. Pomyślał, że być może ich właśnie kelnerzy uważają za Savakowców przesiadających się z jednego końca sali w drugi w poszukiwaniu swojej ofiary. Stracił apetyt, jedzenie rosło mu w ustach. Odstawił talerz i dał głową znak do wyjścia.

Dotarli do domu brata i stamtąd postanowili udać się samochodem w góry, żeby na chwilę wydostać się z męczącego miasta i odetchnąć świeżym powietrzem. Jechali na północ, przez pachnącą jeszcze cementem dzielnicę nowobogackich — Shemiran, mijali luksusowe okazałe wille i pałacyki, komfortowe restauracje i domy mody, przestronne ogrody, ekskluzywne kluby z basenami i kortami. W tym miejscu każdy metr kwadratowy pustyni (bo wokół rozciągała się pustynia) kosztował setki, jeśli nie tysiące dolarów, a i tak trudno było go kupić. Był to zaczarowany świat elity dworskiej, inna ziemia, inna planeta. W pewnej chwili utknęli w kolumnie znieruchomiałych aut. Gdzieś w przodzie, ale nie było widać gdzie, musiała powstać jakaś przeszkoda. Stali długo, bez widoków na dalszą jazdę. Znowu wojna buldożerów! stwierdził brat. Zaparkowali samochód na chodniku i dalej poszli piechotą. Po kwadransie powolnego marszu zobaczyli w perspektywie ulicy wznoszące się pod niebo tumany pyłu. Wzdłuż ulicy stały zakratowane wozy policyjne, a dalej widać było czarny, poruszający się tłum. Mahmud usłyszał krzyki i jęki. Przejechała ciężarówka i zobaczył, że wiezie ona przykryte szmatami zwłoki dwóch ludzi. Dobiegł go suchy odgłos strzałów. Kiedy podeszli bliżej, zobaczył ponad głowami tłumu, jak pięć żółtych, masywnych buldożerów tratuje dzielnicę lepianek. Potem zobaczył kobiety, które z krzykiem rzucały się pod buldożery, bezradnych kierowców zatrzymujących co chwilę maszyny i policjantów odpędzających pałkami ludzi, którzy własnym ciałem zastawiali swoje liche lepianki.

(„To jest właśnie wojna buldożerów, powiedział mi wówczas brat, trwa od kilku miesięcy. Wypędzają biedotę, ponieważ elita chce się tu budować. Tu jest najlepsze powietrze w mieście i tę dzielnicę ochraniają koszary. Działki, na których stoją te slumsy, zostały już rozdzielone, trzeba tylko wygonić mieszkańców i zburzyć ich domy. W ten sposób Shemiran rozbije otaczający go pierścień nędzy i superdzielnica będzie mogła rozwijać się dalej ku pożytkowi ludzi stojących najbliżej tronu. Ale mimo wszystko, dodał brat, nie idzie im to łatwo. Wśród mieszkańców tych lepianek fedaini zorganizowali prawdziwy ruch oporu. Przekonasz się, że stąd właśnie zacznie się pierwszy szturm na pałac".)

Ale Mahmud uważał brata za entuzjastę i nie wierzył tym przepowiedniom. Wrócili do samochodu i próbowali dojechać do gór bocznymi uliczkami. W końcu dotarli na miejsce i zagłębili się w skalne rumowiska. Usiedli w cieniu pochyłej skały i wtedy Gandżi wyjął z torby mały magnetofon, włożył do niego kasetę i nacisnął plastikowy klawisz. Mahmud usłyszał niski, bezbarwny głos:

„W imię Allacha litościwego, miłościwego!
Ludzie!
Obudźcie się!
Od dziesięciu lat szach mówi o rozwoju. Ale cały naród jest pozbawiony rzeczy najbardziej podstawowych. Szach czyni dziś obietnice na następnych dwadzieścia pięć lat. Ale naród wie, że obietnice szacha są pustym słowem. Rolnictwo zostało zrujnowane, pogorszyła się sytuacja robotników i chłopów, niezależność gospodarki jest fikcją. I człowiek ten ośmiela się mówić o rewolucji! Cóż to za rewolucja, która sparaliżowała siły narodu, która uzależniła naród i jego kulturę od obcej mu dyktatury? Wzywam studentów, robotników, chłopów, kupców i rzemieślników, aby przystąpili do walki, aby tworzyli ruch oporu, i chcę was zapewnić, że reżim ten jest bliski upadku.
Ludzie!
Obudźcie się!
W imię Allacha litościwego, miłościwego!"

W głośniku zapadła cisza. Czyj to głos? spytał Mahmud. To mówi Chomeini, odparł Gandżi.

Gandżi przywołał Mahmudowi świat, który w jego świadomości dawno się zatarł. Meczety, mułłowie, Koran, islam, Mekka. Mahmud, podobnie jak jego przyjaciele i znajomi, od lat już nie był w meczecie. Uważał się za racjonalistę i sceptyka, wszelka bigoteria budziła w nim niechęć, nie modlił się i nie wierzył.

(„W czasie tego spotkania Gandżi powiedział nam, że

jest przemytnikiem kaset. Należał do grupy ludzi, którzy trudnili się przemytem kaset z apelami Chomeiniego. Chomeini przebywał wówczas na zesłaniu w małym irackim miasteczku Nadżaf. Był tam wykładowcą w medresie. Tam też nagrywano na kasety jego apele. Nic o tym dawniej nie wiedział, a trwało to od lat, wszystko było dobrze zakonspirowane. W swoich apelach Chomeini atakował każde wystąpienie, każde posunięcie szacha. Były to krótkie, kilkuzdaniowe komentarze mówione prostym, dobitnym językiem, zrozumiałe dla wszystkich i łatwe do zapamiętania. Każdy apel zaczynał się i kończył wezwaniem do Allacha oraz formułą — ludzie, obudźcie się! Kasety te były przemycane przez granicę, często drogą okrężną, przez Paryż i Rzym. Gandżi mówił wówczas, że dla zmylenia Savaku wiele tych apeli było umieszczonych na końcówkach taśm z nagraniami różnych zespołów bitowych. Taśmy były dostarczane umówionym ludziom, jednym z nich był właśnie Gandżi. Oni zanosili je do meczetów i oddawali mułłom. W ten sposób mułłowie otrzymywali instruktaż — co mają głosić w czasie kazań i jak postępować. Można by napisać całą rozprawę o roli kasety magnetofonowej w rewolucji irańskiej. Dla mnie wszystko to było wówczas sensacją, nie zdawałem sobie sprawy z zasięgu szyickiej konspiracji, a myślę, że szach również nie umiał sobie tego wyobrazić, nawet jeżeli dochodziły go na ten temat jakieś informacje. Tego dnia zrozumiałem, że istnieje obok mnie jakiś inny, podziemny świat, którego nie znam i prawie nic o nim nie wiem".)

Wrócili do miasta.

W następnych tygodniach pojawiły się nowe manifesty i listy protestacyjne. Odbywały się tajne odczyty i dyskusje. W listopadzie powstał komitet obrony praw człowieka i podziemne związki studenckie. Mahmud czasami odwiedzał pobliskie meczety, widział w nich tłumy ludzi, ale panujący tam klimat gorliwej nabożności pozostał mu obcy, nie umiał nawiązać z tym światem żadnego emocjonalnego kontaktu. Swoją drogą, mówił sobie, do kogo ci ludzie mają się zwrócić, gdzie pójść? Większość z nich nie umiała nawet czytać i pisać. Przed rokiem, może nawet przed miesiącem, przyszli do wielkiego miasta z zagubionych na pustyni i w górach wiosek, gdzie nic nie zmieniło się od tysiąca lat. Znaleźli się w świecie niepojętym dla nich i wrogim, który ich oszukuje i wyzyskuje, który nimi pogardza. Szukają dla siebie schronienia, szukają ulgi i obrony. Wiedzą jedno, że w tej nowej i tak całkowicie nieprzychylnej rzeczywistości tylko Allach jest ten sam co na wsi, co wszędzie, co zawsze.

Dużo teraz czytał, tłumaczył na perski Londona i Kiplinga. Przypominając sobie londyńskie lata, myślał, jak Europa jest różna od Azji, i powtarzał słowa Kiplinga: ,,Wschód jest Wschodem i Zachód — Zachodem i te dwa światy nigdy się nie spotykają''. Nie spotkają i nie zrozumieją. Azja odrzuci każdy przeszczep z Europy jak obce ciało. Europejczycy mogą się oburzać, ale niewiele to zmieni. W Europie epoki zmieniają się, nowa wypiera poprzednią, co jakiś czas ziemia oczyszcza się z przeszłości, człowiekowi naszego stulecia trudno zrozumieć jego przodków. Tutaj jest inaczej, tu przeszłość jest równie żywotna jak teraźniejszość, nieobliczalny i okrutny wiek kamienia łupanego współistnieje z chłodnym, wyrachowanym wiekiem elektroniki, żyją one w tym samym człowieku, który jest w równym stopniu potomkiem Dżyngis-chana co uczniem Edisona, o ile, oczywiście, że światem Edisona w ogóle kiedyś się zetknął.

Pewnej nocy, na początku stycznia, Mahmud usłyszał łomotanie do drzwi. Zerwał się z łóżka.

(,,Był to mój brat. Widziałem, że jest niesłychanie przejęty. Jeszcze w korytarzu powiedział jedno słowo — masakra! Nie chciał usiąść, chodził po pokoju, mówił bardzo chaotycznie. Powiedział, że dzisiaj na ulicach Qomu policja strzelała do ludności. Wymienił liczbę pięciuset zabitych. Zginęło dużo kobiet i dzieci. Poszło o sprawę, która wydawała się błaha. W dzienniku «Etelat» ukazał się artykuł atakujący Chomeiniego. Pisał go ktoś z pałacu lub z rządu. Autor artykułu nazywał Chomeiniego cudzoziemcem, co w naszych wyobrażeniach ma zabarwienie pogardliwe. Kiedy gazeta dotarła do Qom, które jest miastem Chomeiniego, ludzie zaczęli gromadzić się na ulicach i roztrząsać sprawę. Potem poszli na główny plac, który zaraz otoczyła policja. Policjanci pojawili się również na dachach. Przez jakiś czas nic nie działo się, może trwały konsultacje z Teheranem. Następnie jakiś oficer wezwał ludzi, aby się rozeszli, ale nikt nie drgnął. Zapanowała cisza. W tej ciszy z dachów i ulic wychodzących na plac rozległy się strzały, mundurowi otworzyli ogień. Na placu powstała panika, ludzie chcieli uciekać, ale nie mieli gdzie, ulice były zablokowane przez strzelającą policję. Cały plac jest zasłany trupami, mówił brat. Z Teheranu przyszły posiłki i teraz trwają w mieście aresztowania. Zginęli zupełnie niewinni ludzie, powiedział, ich jedynym przestępstwem było to, że stali na placu. Pamiętam, że następnego dnia cały Teheran był poruszony, czuło się, że nadciągają jakieś czarne i straszne dni".)

Martwy płomień

Drogi Panie Boże
Dlaczego nie zostawiasz słońca na noc,
kiedy go najbardziej potrzebujemy?
Barbara

(„Listy dzieci do Pana Boga", Wyd. Pax, 1978)

Kres panowaniu szacha położyła rewolucja. Zburzyła ona pałac i pogrzebała monarchię. Zdarzenie to zaczęło się od pozornie drobnego błędu, jaki popełniła cesarska władza. Władza uczyniła fałszywy krok i w ten sposób skazała się na zagładę.

Zwykle przyczyn rewolucji szuka się w warunkach obiektywnych — w powszechnej biedzie, w ucisku, w gorszących nadużyciach. Ale spojrzenie to, choć trafne, jest jednostronne. Takie bowiem warunki istnieją w stu krajach, a jednak rewolucje wybuchają rzadko. Potrzebna jest świadomość biedy i świadomość ucisku, przekonanie, że bieda i ucisk nie są naturalnym porządkiem świata. Ciekawe, że w tym wypadku samo doświadczenie, choćby najbardziej dotkliwe, nie jest wcale wystarczające. Konieczne jest słowo, niezbędna jest myśl objaśniająca. Dlatego tyrani bardziej niż petardy i sztyletu boją się słów, nad którymi nie sprawują kontroli, słów krążących luźno, podziemnie, buntowniczo, słów nie ubranych w galowe mundury, nie opatrzonych oficjalną pieczęcią. Ale bywa, że właśnie takie słowa w mundurze i z pieczęcią wywołują rewolucję.

Należy rozróżniać rewolucję od rewolty, zamachu stanu, przewrotu pałacowego. Zamach i przewrót można zaplanować, rewolucję — nigdy. Jej wybuch, godzina tego wybuchu, zaskakuje wszystkich, nawet tych, którzy do niej dążyli. Stają oni zdumieni wobec żywiołu, który nagle pojawił się i burzy wszystko na swojej drodze. Burzy tak bezwzględnie, że na koniec może zniszczyć hasła, które powołały go do życia.

Błędne jest mniemanie, że narody krzywdzone przez historię (a takich jest większość) żyją nieustanną myślą o rewolucji, że widzą w niej rozwiązanie najprostsze. Każda rewolucja jest dramatem, a człowiek instynktownie unika sytuacji dramatycznych. Nawet jeżeli znajdzie się w takiej sytuacji, gorączkowo szuka z niej wyjścia, dąży do spokoju i najczęściej — do codzienności. Dlatego rewolucje nigdy nie trwają długo. Są one bronią ostateczną i jeżeli lud decyduje się po nią sięgnąć, to dlatego, że długotrwałe doświadczenie nauczyło go, iż nie pozostawiono mu innego wyjścia. Wszystkie inne próby skończyły się przegraną, wszystkie inne środki zawiodły.

Każdą rewolucję poprzedza stan ogólnego wyczerpania i na tym tle — pobudzonej agresji. Władza nie znosi narodu, który ją irytuje, naród nie cierpi władzy, której nienawidzi. Władza roztrwoniła już całe zaufanie, ma puste ręce, naród utracił już resztki cierpliwości i zaciska pięści. Panuje klimat napięcia i coraz bardziej przygniatającej duszności. Zaczynamy ulegać psychozie grozy. Nadciąga wyładowanie. Czujemy to.

Jeśli chodzi o technikę walki, historia zna dwa typy rewolucji. Pierwszy to rewolucja szturmująca, drugi — rewolucja oblegająca. W wypadku rewolucji szturmującej o dalszych jej losach, o jej powodzeniu, decyduje głębokość pierwszego uderzenia. Uderzyć i zająć jak największy teren! Jest to ważne, ponieważ rewolucja tego typu, będąc najbardziej gwałtowną, jest zarazem najbardziej powierzchowną. Przeciwnik został pobity, ale ustępując zachował część sił. Będzie kontratakować, zmuszać zwycięzców do odwrotu. Dlatego im pierwsze uderzenie jest głębsze, tym większy obszar, mimo ustępstw, będzie można ocalić. W rewolucji szturmującej pierwszy etap jest najbardziej radykalny. Następne, dalsze są już powolnym, ale nieustannym cofaniem się do tego punktu, w którym obie siły — zbuntowana i zachowawcza — osiągną ostateczny kompromis. Inaczej w wypadku rewolucji oblegającej: tu pierwsze uderzenie jest zwykle słabe, z trudem domyślamy się, że zapowiada ono kataklizm. Ale wkrótce wydarzenia nabierają tempa i dramatyzmu. Bierze w nich udział coraz więcej i więcej ludzi. Mury, za którymi chroni się władza, stopniowo kruszą się i pękają. O powodzeniu rewolucji oblegającej decyduje determinacja zbuntowanych. Ich siła woli i wytrwałość. Jeszcze jeden dzień! Jeszcze jeden wysiłek! W końcu bramy ustąpią. Tłum wdziera się do środka i święci swój triumf.

To władza prowokuje rewolucję. Na pewno nie czyni tego świadomie. A jednak jej styl życia i sposób rządzenia stają się w końcu prowokacją. Następuje to wówczas, kiedy wśród ludzi elity ugruntuje się poczucie bezkarności. Wszystko nam wolno, wszystko możemy. Jest to złudzenie, ale nie pozbawione racjonalnych podstaw. Rzeczywiście przez jakiś czas wygląda to tak, jakby wszystko mogli. Skandal za skandalem, jedno bezprawie po drugim uchodzą im na sucho. Lud milczy, jest cierpliwy i ostrożny. Boi się, nie czuje jeszcze własnej siły. Ale równocześnie prowadzi drobiazgowy rachunek krzywd i w pewnym momencie dokonuje podsumowania. Wybór tego momentu jest największą zagadką historii. Dlaczego wypadł on w tym dniu, a nie w innym? Dlaczego przyspieszyło go to wydarzenie, a nie inne? Przecież wczoraj jeszcze władza pozwalała sobie na gorsze ekscesy, a jednak nikt nie reagował. Cóżem takiego uczynił, pyta zaskoczony władca, że się tak nagle zbiesili? Otóż uczynił: nadużył cierpliwości ludu. Ale gdzie przebiega granica tej cierpliwości, jak ją określić? W każdym wypadku odpowiedź będzie inna, o ile w ogóle można tu cokolwiek ustalić. Pewne jest tylko, że władcy, którzy wiedzą o istnieniu takiej granicy i potrafią ją respektować, mogą liczyć na długie panowanie. Ale nie jest ich wielu.

W jaki sposób szach naruszył ową granicę i wydał wyrok na samego siebie? Poszło o artykuł w gazecie. Nieostrożne słowo może wysadzić w powietrze największe imperium, władza powinna o tym wiedzieć. Niby wie, niby czuwa, ale w jakiejś chwili zawodzi ją instynkt samozachowawczy, pewna siebie i zadufana popełnia błąd arogancji i ginie. 8 stycznia 1978 w rządowej gazecie „Etelat" ukazał się artykuł atakujący Chomeiniego. W tym czasie Chomeini przebywał na emigracji, stamtąd zwalczał szacha. Prześladowany przez despotę, potem wygnany z kraju, był bożyszczem i sumieniem ludu. Zniszczyć mit Chomeiniego oznaczało zniszczyć świętość, zrujnować nadzieje skrzywdzonych i poniżonych. I taka właśnie była intencja artykułu.

Co należy napisać, aby skończyć przeciwnika? Najlepiej dowieść, że to człowiek obcy. W tym celu tworzymy kategorie prawdziwej rodziny. My tutaj, ty i ja, władza i naród, jesteśmy prawdziwą rodziną. Żyjemy w zgodzie, dobrze nam i swojsko. Mamy wspólny dach, wspólny stół, umiemy się porozumieć, jeden drugiemu zawsze pomoże. Niestety, nie jesteśmy sami. Dookoła pełno obcych, którzy chcą zburzyć nasz spokój i zająć nasz dom. Kim jest obcy? Obcy to przede wszystkim ktoś gorszy i jednocześnie — ktoś niebezpieczny. Gdyby tylko był gorszy, ale zachowywał się bier-

128

nie! Gdzie tam! On będzie mącić, warcholić i niszczyć. Będzie skłócać, tumanić i rozbijać. Obcy czyha na ciebie, jest sprawcą twoich nieszczęść. W czym siła obcego? W tym, że stoją za nim obce siły. Obce siły mogą być nazwane albo nie nazwane, ale jedno jest pewne — są potężne. To znaczy są potężne, jeżeli je lekceważymy, natomiast jeżeli jesteśmy czujni i prowadzimy walkę, jesteśmy od nich silniejsi. A teraz spójrzcie na Chomeiniego. Ten jest obcy. Jego dziadek pochodził z Indii, można więc zadać pytanie — czyim interesom służy wnuk tego dziadka cudzoziemca? To była pierwsza część artykułu. Druga była poświęcona zdrowiu. Jak to dobrze, że jesteśmy zdrowi! Bo nasza prawdziwa rodzina jest również rodziną zdrową. Zdrową na ciele i umyśle. Komu to zawdzięczamy? Zawdzięczamy naszej władzy, która zapewniła nam dobre, szczęśliwe życie i dlatego jest najlepszą władzą pod słońcem. Wobec tego któż może sprzeciwiać się takiej władzy? Tylko ten, kto jest niespełna rozumu. Skoro jest to najlepsza władza, trzeba być wariatem, żeby z nią walczyć. Zdrowe społeczeństwo musi izolować takich pomyleńców, wysyłać ich do miejsca odosobnienia. Jak to dobrze, że szach wyrzucił Chomeiniego z kraju, inaczej trzeba by go zamknąć w domu dla umysłowo chorych.

Kiedy gazeta z tym artykułem dotarła do Qom, ludzi ogarnęło wzburzenie. Zaczęli gromadzić się na ulicach i placach. Kto umiał czytać, czytał na głos innym. Poruszeni ludzie tworzyli coraz większe grupy, krzyczeli i dyskutowali, namiętnością Irańczyków jest nie kończące się dyskutowanie w byle jakim miejscu, o byle jakiej porze dnia i nocy. Grupy najbardziej tym dyskutowaniem rozognione zaczęły działać jak magnes, przyciągać coraz to nowych gapiów i słuchaczy, w końcu na głównym placu zgromadził się wielki tłum. A to jest właśnie to, czego najbardziej nie lubi policja. Kto dał zgodę na tak wielki tłum? Nikt. Takiej zgody nie było. Kto dał zgodę na wznoszenie okrzyków? Kto pozwolił wymachiwać rękami? Policja z góry wie, że są to pytania retoryczne i że po prostu musi wziąć się do pracy.

Teraz najważniejszą chwilą, która zdecyduje o losach kraju, szacha i rewolucji, jest ta, kiedy wysłany z posterunku policjant zbliża się do stojącego na skraju tłumu człowieka i podniesionym głosem każe mu iść do domu. I policjant, i człowiek z tłumu to zwykli, anonimowi ludzie, a jednak ich spotkanie ma znaczenie historyczne. Obaj są ludźmi dorosłymi, coś przeżyli, mają swoje doświadczenia. Doświadczenie policjanta: jeżeli na kogoś krzyknę i podniosę pałkę, ten zdrętwieje z przerażenia, a potem zacznie uciekać. Doświadczenie człowieka z tłumu: na widok zbliżającego się policjanta zamieniam się w strach i zaczynam uciekać. Na podstawie tych doświadczeń układamy dalszy scenariusz: policjant krzyczy, człowiek ucieka, za nim pierzchają inni, plac pustoszeje. A jednak tym razem wszystko dzieje się inaczej. Policjant krzyczy, ale człowiek nie ucieka. Stoi i patrzy na policjanta. Jest to spojrzenie czujne, jeszcze z odrobiną lęku, ale zarazem twarde i bezczelne. Tak jest! Człowiek z tłumu patrzy bezczelnie na ubraną w mundur władzę. Nie rusza się z miejsca. Potem rozgląda się dookoła, widzi spojrzenia innych. Są podobne: czujne, jeszcze z odrobiną lęku, ale już twarde i nieustępliwe. Nikt nie ucieka, mimo że policjant ciągle jeszcze krzyczy, aż w końcu przychodzi chwila, kiedy milknie i na moment zapada cisza. Nie wiemy, czy policjant i człowiek z tłumu zdali już sobie sprawę z tego, co zaszło. Że człowiek z tłumu przestał się bać i że to jest właśnie początek rewolucji. Od tego ona się zaczyna. Dotychczas, ilekroć ci dwaj ludzie zbliżali się do siebie, natychmiast zjawiał się między nimi ktoś trzeci. Był to strach. Strach zjawiał się jako sojusznik policjanta i wróg człowieka z tłumu. Narzucał swoje prawo, rozstrzygał o wszystkim. A teraz ci dwaj znaleźli się sam na sam — strach zniknął, zapadł się pod ziemię. Dotąd stosunek między nimi był pełen emocji. Była to mieszanina agresji, pogardy, wściekłości i lęku. Ale teraz, kiedy ustąpił strach, ten przewrotny i nienawistny związek nagle rozpadł się, coś się wypaliło, coś zgasło. Ci dwaj stali się sobie obojętni, nawzajem nieprzydatni, każdy mógł pójść w swoją stronę. Toteż policjant odwraca się i zaczyna iść ociężałym krokiem w stronę posterunku, natomiast człowiek z tłumu pozostaje na placu i jakiś czas odprowadza wzrokiem znikającego wroga.

Strach: zaborcze, żarłoczne zwierzę, które w nas siedzi. Nie daje o sobie zapomnieć. Ciągle nas obezwładnia i torturuje. Ciągle domaga się strawy, ciągle musimy go karmić. Sami dbamy, aby pożywienie było najlepsze. Jego ulubione potrawy to — ponure plotki, złe wieści, paniczne myśli, koszmarne obrazy. Spośród tysiąca plotek, wieści i myśli wybieramy zawsze najgorsze, a więc te, które strach najbardziej lubi. Aby go zaspokoić, aby ugłaskać potwora. Oto widzimy człowieka, który słuchając innego ma bladą twarz i porusza się niespokojnie. Cóż się stało? On karmi swój strach. A jeżeli nie mamy żadnego pożywienia? Gorączkowo je wymyślamy. A jeżeli nie możemy wymyślić (co zdarza się rzadko)? Pędzimy do innych, szukamy ludzi, pytamy, słuchamy i zbieramy wieści tak długo, aż znowu zaspokoimy nasz strach.

Wszystkie książki o wszystkich rewolucjach zaczynają się od rozdziału, który mówi o zgniliźnie władzy upadającej albo o nędzy i cierpieniach ludu. A przecież powinny one zaczynać się od rozdziału z dziedziny psychologii — o tym, jak udręczony, zalękniony człowiek nagle przełamuje strach, przestaje się bać. Powinien być opisany cały ten niezwykły proces, który czasem dokonuje się w jednej chwili, jak wstrząs, jak oczyszczenie. Człowiek pozbywa się strachu, czuje się wolny. Bez tego nie byłoby rewolucji.

Policjant wraca na posterunek i składa komendantowi meldunek. Komendant wysyła strzelców i nakazuje im za-

131

jąć pozycje na dachach domów otaczających plac. Sam jedzie samochodem do centrum miasta i przez głośniki wzywa tłum do rozejścia. Nikt jednak nie chce go słuchać. Wówczas cofa się w bezpieczne miejsce i wydaje rozkaz otwarcie ognia. Ulewa kul z broni maszynowej spada na głowy ludzi. Wybucha panika, powstaje tumult, kto może — ucieka. Potem strzelanina cichnie. Na placu pozostają zabici.

Nie wiadomo, czy szachowi pokazano zdjęcia tego placu, które zrobiła policja w chwilę po masakrze. Powiedzmy, że pokazano. Powiedzmy, że nie pokazano. Szach bardzo dużo pracował, mógł nie mieć czasu. Jego dzień zaczynał się o siódmej rano, a kończył o północy. Właściwie wypoczywał tylko zimą, kiedy jechał na narty do St Moritz. Ale i tam pozwalał sobie ledwie na dwa, trzy zjazdy, a potem wracał do rezydencji i pracował. Wspominając te historie Madame L. mówi, że szachowa zachowywała się w St Moritz bardzo demokratycznie. Jako dowód pokazuje mi fotografię, na której widać szachową stojącą w kolejce do wyciągu. Ot, tak, po prostu — stoi oparta o narty, zgrabna, przyjemna kobieta. A przecież, mówi Madame L., oni mieli tyle pieniędzy, że mogła zażądać, aby zbudowali wyciąg tylko dla niej!

Zmarłych owijają tu w białe prześcieradła i kładą na drewniane mary. Ci, którzy niosą mary, idą szybkim krokiem, czasem podbiegają truchtem, sprawia to wrażenie wielkiego pośpiechu. Cały kondukt spieszy się, słychać krzyki i lamenty, wśród żałobników panuje niepokój i zdenerwowanie. Jakby zmarły drażnił ich swoją obecnością, jakby chcieli natychmiast oddać go ziemi. Potem na grobie rozkładają jadło i odbywa się stypa. Kto tędy przechodzi, będzie zaproszony, otrzyma posiłek. Jeżeli nie jest głodny, dostanie tylko owoc — jabłko lub pomarańczę, ale coś powinien zjeść.

Nazajutrz rozpoczyna się okres rozpamiętywań. Ludzie rozpamiętują życie zmarłego, jego dobre serce i prawy charakter. Trwa to czterdzieści dni. Czterdziestego dnia w domu zmarłego zbiera się rodzina, przyjaciele i znajomi. Wokół domu gromadzą się sąsiedzi, cała ulica, cała wieś, tłum ludzi. Jest to tłum rozpamiętujący, tłum lamentujący. Ból i żal osiągają swoją przejmującą kulminację, swoje żałobne, rozpaczliwe crescendo. Jeśli była to śmierć naturalna, zgodna z koleją ludzkiego losu, w tym zgromadzeniu, które może trwać całą dobę, po kilku godzinach ekstatycznych, rozdzierających wyładowań zapanuje nastrój otępiałej i pokornej rezygnacji. Ale jeśli była to śmierć gwałtowna, śmierć przez kogoś zadana, ludzi opanowuje duch odwetu, pragnienie zemsty. W atmosferze rozszalałego gniewu i rozjątrzonej nienawiści pada nazwisko zabójcy — sprawcy nieszczęścia. I choć może on być daleko od tego miejsca, wierzy się, że w tym momencie musi zadrżeć ze strachu: tak, jego dni są już policzone.

Naród, gnębiony przez despotę, spychany do roli przedmiotu, degradowany, szuka dla siebie schronienia, szuka miejsca, w którym mógłby się okopać, odgrodzić, być sobą. Jest mu to niezbędne, aby zachować swoją odrębność, swoją tożsamość, nawet po prostu — swoją zwyczajność. Ale cały naród nie może wyemigrować, dlatego odbywa on wędrówkę nie w przestrzeni, lecz w czasie, wraca do przeszłości, która wobec utrapień i zagrożeń otaczającej go rzeczywistości wydaje się być rajem utraconym. I odnajduje swoje schronienie w dawnych zwyczajach, tak dawnych i tak przez to świętych, że władza obawia się z nimi walczyć. Dlatego też pod pokrywką każdej dyktatury następuje — wbrew niej i przeciw niej — stopniowe odradzanie dawnych obyczajów, wierzeń i symboli. Nabierają one nowego sensu, nowych, wyzywających znaczeń. Zrazu jest to proces nieśmiały i często potajemny, ale w miarę jak dyktatura staje się coraz bardziej nieznośna i uciążliwa, wzrasta jego siła i zasięg. Można usłyszeć krytyczne opinie, że jest to powrót do średniowiecza. Bywa i tak. Ale najczęściej jest to forma, w jakiej lud wyraża swoją opozycję. Ponieważ władza głosi, że jest symbolem postępu i nowoczesności, pokażemy, że nasze wartości są inne. Jest w tym więcej politycznej przekory niż chęci powrotu do zapomnianego świata przodków. Niech tylko życie stanie się lepsze, wnet stary obyczaj utraci swoją emocjonalną treść i stanie się tym, czym był — rytualną formą.

Takim zwyczajem, który pod wpływem ducha narastającej opozycji zmienił się nagle w akt polityczny, stał się ów obrządek wspólnego rozpamiętywania zmarłych w czterdzieści dni po ich śmierci. Uroczystość rodzinno-sąsiedzka zaczęła się przekształcać w wiece protestacyjne. Czterdziestego dnia po wypadkach w Qom w wielu miastach Iranu zebrali się w meczetach ludzie, aby rozpamiętywać tych, którzy padli ofiarą masakry. Z tej okazji w Tebrizie doszło do takiego napięcia, że w mieście wybuchło powstanie. Tłum ruszył na ulice, domagał się śmierci szacha. Wkroczyło wojsko, które utopiło miasto we krwi. Zginęło kilkuset ludzi, było tysiące rannych. Po czterdziestu dniach miasta okrywają się żałobą — nastąpił czas rozpamiętywania masakry w Tebrizie. W jednym z nich — w Isfahanie — rozpaczający i gniewny tłum wychodzi na ulice. Wojsko otacza manifestantów i otwiera do nich ogień. Znowu padają zabici. Mija następnych czterdzieści dni — teraz w dziesiątkach miast gromadzą się tłumy żałobne, aby rozpamiętywać tych, którzy padli w Isfahanie. Jeszcze raz manifestacje i masakry. Potem, po czterdziestu dniach, to samo powtarza się w Meszhedzie. Następnie w Teheranie. I znowu w Teheranie. Na koniec właściwie we wszystkich miastach.
　　W ten sposób rewolucja irańska rozwija się w rytmie wybuchów następujących po sobie co czterdzieści dni. Co

czterdzieści dni — eksplozja rozpaczy, gniewu i krwi. Za każdym razem eksplozja coraz straszliwsza — za każdym razem coraz większe tłumy i coraz więcej ofiar. Mechanizm terroru zaczął działać w odwrotnym kierunku. Terror stosuje się po to, aby zastraszyć. Tymczasem terror władzy pobudzał naród do dalszej walki, do nowych szturmów.

Odruch szacha był typowy dla każdego despoty: najpierw uderzyć i stłumić, potem zastanowić się — co dalej. Najpierw pokazać muskuł, pokazać siłę, potem ewentualnie dowodzić, że ma się także głowę. Władzy despotycznej zależy na tym, aby uważano ją za silną, znacznie mniej — aby podziwiano jej mądrość. Zresztą, czym w rozumieniu despoty jest mądrość? Umiejętnością stosowania siły. Mądry jest ten kto wie, jak i kiedy uderzyć. To ciągłe manifestowanie siły jest koniecznością, gdyż podporą wszelkiej dyktatury są najniższe instynkty, jakie wyzwala ona u podwładnych — lęk, agresja wobec bliźniego, lokajstwo. Instynkty te najskuteczniej rozbudza strach, a źródłem strachu jest lęk przed siłą.

Despota jest przekonany, że człowiek jest istotą podłą. Podli ludzie zapełniają jego dwór, stanowią jego otoczenie. Sterroryzowane społeczeństwo przez długi czas zachowuje się jak bezmyślny i uległy motłoch. Wystarczy ich karmić, a będą posłuszni. Trzeba dać im rozrywkę, a będą szczęśliwi. Arsenał chwytów politycznych jest bardzo ubogi, nie zmienia się od tysięcy lat. Stąd tylu amatorów w polityce, tylu przekonanych, że potrafią rządzić, byle dać im władzę. Ale zdarzają się też rzeczy zaskakujące. Oto nakarmiony i ubawiony tłum przestaje być posłuszny. Zaczyna domagać się czegoś więcej niż rozrywki. Chce wolności, żąda sprawiedliwości. Despota jest zdumiony. Rzeczywistość domaga się, aby zobaczyć człowieka w całej jego pełni, w ca-

135

łym bogactwie. Ale taki człowiek zagraża dyktaturze, jest jej wrogiem i dlatego gromadzi ona siły, aby go zniszczyć.

Dyktatura, choć gardzi ludem, zabiega o jego uznanie. Mimo że jest ona bezprawiem, a raczej — ponieważ jest bezprawiem, dba o pozory legalności. Jest na tym punkcie niezmiernie drażliwa, chorobliwie przeczulona. Ponadto dolega jej (co prawda głęboko skrywane) poczucie niepewności. Nie szczędzi więc starań, aby dowodzić sobie i innym, jakim to cieszy się wsparciem i aprobatą ludu. Nawet jeśli są to tylko pozory wsparcia — będzie odczuwać satysfakcję. Cóż z tego, że pozory? Cały świat dyktatury jest pełen pozorów.

Również szach odczuwał potrzebę aprobaty. Toteż kiedy w Tebrizie pochowano ostatnie ofiary masakry, w mieście zorganizowano manifestację poparcia dla monarchy. Na wielkich błoniach zgromadzono aktywistów partii szacha — Rastakhiz. Nieśli oni portrety swojego lidera, na których nad głową monarchy było namalowane słońce. Na trybunie zjawił się cały rząd. Do zgromadzonych przemówił premier Jamshid Amuzegar. Mówca zastanawiał się, jak to jest, że kilku anarchistów i nihilistów potrafi zburzyć jedność narodu i zakłócić jego spokojne życie. Kładł nacisk na małą liczebność owych wywrotowców. „Jest ich tak mało, że nawet trudno mówić o grupie. To garstka ludzi". Na szczęście, powiedział, z całego kraju płyną słowa potępienia dla tych, którzy chcą zrujnować nasze domy i nasz dobrobyt. Po czym uchwalono rezolucję poparcia dla szacha. Po skończonej manifestacji jej uczestnicy przemykali się ukradkiem do domu. Większość odwieziono autobusami do sąsiednich miast, skąd zostali przywiezieni na tę okazję do Tebrizu.

Po tej manifestacji szach poczuł się lepiej. Zdawało się, że zaczyna stawać na nogach. Dotąd grał kartami poznaczonymi krwią. Teraz postanowił zagrać kartami, które są czyste. Żeby zyskać sympatię ludu, usunął kilku oficerów, którzy dowodzili oddziałami strzelającymi do mieszkańców Tebrizu. Wśród generałów rozległ się pomruk niezadowolenia. Żeby uspokoić generałów, rozkazał strzelać do mieszkańców Isfahanu. Lud odpowiedział wybuchem gniewu i nienawiści. Chciał uspokoić lud, więc usunął szefa Savaku. Savak ogarnęło przerażenie. Żeby udobruchać Savak, pozwolił im aresztować, kogo chcą. I tak zakolami, zakosami, klucząc i zygzakując, krok po kroku zbliżał się do przepaści.

Zarzucają szachowi, że nie okazywał zdecydowania. Polityk, mówią, powinien być zdecydowany. Ale zdecydowany na co? Szach był zdecydowany, żeby utrzymać się na tronie, i aby to osiągnąć, próbował wszystkich możliwości. Próbował strzelać i próbował demokratyzować, to zamykał, to wypuszczał na wolność, jednych usuwał, innych awansował, raz groził, innym razem chwalił. Wszystko na próżno. Po prostu ludzie nie chcieli więcej szacha, nie chcieli takiej władzy.

Szacha zgubiła jego próżność. Uważał się za ojca narodu, tymczasem naród wystąpił przeciw niemu. Szach bardzo to przeżywał, czuł się dotknięty. Chciał za wszelką cenę (niestety, również za cenę krwi) przywrócić dawny, latami hołubiony obraz szczęśliwego ludu, który bije pokłony wdzięczności swojemu dobroczyńcy. Ale zapomniał, że żyjemy w czasach, kiedy narody domagają się praw, a nie łaski.

Być może zgubiło go również to, że traktował sam siebie zbyt dosłownie, zbyt serio. Na pewno wierzył, że lud go wielbi, że uważa za swoją najwyższą i najlepszą cząstkę. Nagle zobaczył lud zbuntowany. Było to dla niego zaskakujące i niepojęte. Nie wytrzymał tego nerwowo, uważał, że musi natychmiast reagować. Stąd jego decyzje tak gwałtowne, histeryczne, szalone. Zabrakło mu pewnej dozy cynizmu. Mógłby wówczas powiedzieć: manifestują? Trudno, niech manifestują! Ile tak mogą manifestować? Pół roku? Rok? Myślę, że wytrzymam. W każdym razie nie ruszę się z pałacu. I ludzie, rozczarowani i zgorzkniali, chcąc nie chcąc, wróciliby w końcu do domu, ponieważ trudno oczekiwać, aby ktoś zgodził się spędzić całe życie w pochodach manifestacyjnych. Nie umiał czekać. A w polityce trzeba umieć czekać.

Także zgubiło go to, że nie znał własnego kraju. Całe życie spędził w pałacu. Jeżeli opuszczał pałac, to z takim uczuciem, z jakim z ciepłej izby wystawiamy głowę na mróz. Wyjrzeć na moment i szybko z powrotem! Tymczasem życiem wszystkich pałaców rządzą te same deformujące i niszczące prawa. Tak było od niepamiętnych czasów, tak jest i będzie. Można zbudować dziesięć nowych pałaców, ale natychmiast zaczną panować w nich identyczne prawa, jakie istniały w pałacach wzniesionych pięć tysięcy lat temu. Jedynym wyjściem jest traktować pałac jako miejsce pobytu czasowego, tak jak traktujemy tramwaj albo autobus. Wsiadamy na przystanku, jakiś czas jedziemy, ale potem jednak wysiadamy. I bardzo dobrze jest pamiętać, aby wysiąść na właściwym przystanku, aby go nie przejechać.

Najtrudniejsze: żyjąc w pałacu wyobrazić sobie inne życie. Na przykład — własne życie, ale bez pałacu poza nim. Człowiek będzie miał zawsze trudności w przedstawieniu sobie takiej sytuacji. W końcu jednak znajdą się tacy, którzy zechcą mu w tym pomóc. Niestety, czasem przy tej okazji ginie wiele ludzi. Problem honoru w polityce. De

Gaulle — człowiek honoru. Przegrał referendum, uporządkował biurko, opuścił pałac i nigdy do niego nie wrócił. Chciał rządzić pod warunkiem, że akceptuje go większość. W momencie, kiedy większość odmówiła mu uznania — odszedł. Ale ilu jest takich? Inni będą płakać, a nie ruszą się, zamęczą naród, a nie drgną. Wyrzuceni przez jedne drzwi, wrócą drugimi, zrzuceni ze schodów, zaczną wczołgiwać się ponownie. Będą tłumaczyć się, płaszczyć, kłamać i kokietować — byle zostać, albo — byle wrócić. Będą pokazywać ręce — proszę, nie ma na nich krwi. Ale sam fakt, że trzeba te ręce pokazać, okrywa najwyższą hańbą. Będą pokazywać kieszenie — proszę, mało tam czego. Ale sam fakt pokazywania kieszeni — jakże upokarzający. Szach, kiedy opuszczał pałac — płakał. Na lotnisku — znowu płakał. Potem tłumaczył w wywiadach, ile ma pieniędzy i że ma mniej, niż myślą. Jakie to wszystko żałosne, jakie marne.

Całymi dniami włóczyłem się po Teheranie. Właściwie bez sensu, bez celu. Uciekałem przed pustką mojego pokoju, która mnie męczyła, a także przed natrętną, napastliwą czarownicą — moją sprzątaczką. Ciągle domagała się pieniędzy. Brała moje czyste, wyprasowane koszule, które dostawałem z pralni, wrzucała do wody, mięła, wieszała na sznurku i żądała pieniędzy. Za co? Że zniszczyła mi koszule? Spod czadoru nadal wystawała jej wyciągnięta, chuda ręka. Wiedziałem, że nie ma pieniędzy. Ale ja też nie miałem. Tego nie mogła zrozumieć. Człowiek, który przyjechał z dalekiego świata, musi być bogaty. Właścicielka hotelu rozkładała ręce: nie mogę nic poradzić. Skutki rewolucji, mój panie, ta kobieta ma teraz władzę! Właścicielka traktowała mnie jako swojego naturalnego sojusznika, jako kontrrewolucjonistę. Uważała, że mam poglądy liberalne, liberałowie zaś, jako ludzie środka, byli najbardziej zwalczani. Wybieraj między Bogiem a Szatanem! Oficjalna propaganda domagała się od każdego wyraźnej deklaracji, zaczynał się bowiem okres czystek i tego, co nazywali patrzeniem każdemu na ręce.

Na tych wędrówkach po mieście minął mi grudzień. Nadszedł Sylwester 1979. Zadzwonił kolega, że urządzają wspólny wieczór, prawdziwą, choć dyskretnie zamaskowaną zabawę i żebym do nich przyszedł. Ale odmówiłem, powiedziałem, że mam inne plany. Jakie plany? zdumiał się, bo rzeczywiście — co można było robić w Teheranie w taki wieczór? Plany dziwne, odparłem, i było to najbliższe prawdy. Postanowiłem, że w noc sylwestrową pójdę pod ambasadę amerykańską. Zobaczę, jak o tej porze będzie wyglądać miejsce, o którym w tym czasie mówił cały świat. I tak zrobiłem. Wyszedłem z hotelu o jedenastej, a nie miałem daleko — może dwa kilometry drogi, wygodnej, bo w dół miasta. Było przejmująco zimno, wiał suchy, mroźny wiatr, widocznie w górach szalała zamieć. Szedłem pustymi ulicami, ani przechodniów, ani żadnych patroli, tylko na placu Vallahd siedział przy straganie sprzedawca orzeszków tak zakutany w ciepłe szale jak nasze sprzedawczynie jesienią na Polnej. Wziąłem od niego torebkę orzeszków i dałem mu garść rialsów, dużo, bo był to mój prezent gwiazdkowy. Nie zrozumiał. Odliczył należność, a resztę zwrócił mi z poważną, godną miną. W ten sposób mój gest, który miał pomóc w jakimś chwilowym bodaj zbliżeniu z jedynym człowiekiem napotkanym w wymarłym i lodowatym mieście, został odtrącony. Poszedłem więc dalej oglądając coraz bardziej marniejące wystawy sklepów, skręciłem w Takhte--Jamshid, minąłem spalone kino, spalony bank, pusty hotel i ciemne biura linii lotniczych. W końcu dotarłem do ambasady. W dzień miejsce to przypomina wielki jarmark, ruchliwe koczowisko, jakiś gwarny, polityczny lunapark, gdzie można się wyszumieć i wykrzyczeć. Można tu przyjść, nawyzywać możnych tego świata i nic się człowiekowi nie stanie. Toteż nie brak chętnych, kłębią się tutaj wielkie tłumy. Ale teraz, a zbliżała się północ, nie było nikogo. Chodziłem jak po rozległej, wymarłej scenie, którą dawno opuścił ostatni aktor. Pozostały tylko niedbale rozstawione dekoracje i jakiś niesamowity nastrój porzuconego przez

ludzi miejsca. Wiatr poruszał strzępami transparentów i ło-
motał o wielkie malowidło, na którym stado szatanów grza-
ło się przy ogniu piekielnym. Gdzieś dalej Carter w gwiaź-
dzistym cylindrze potrząsał workiem złota, a obok niego
natchniony imam Ali przygotowywał się do męczeńskiej
śmierci. Na platformie, z której egzaltowani mówcy za-
grzewali tłumy do gniewu i oburzenia, stał mikrofon i ba-
terie głośników. Widok tych niemych głośników jeszcze
bardziej pogłębiał wrażenie pustki i martwoty. Podszedłem
do głównej bramy. Jak zawsze była zamknięta na łańcuch
i kłódkę, bo zamka, który wyłamali szturmujący ambasadę,
nikt później nie naprawił. Przed bramą, oparci o ceglany,
wysoki mur, stali skuleni z zimna dwaj młodzi wartownicy
z automatami na ramieniu — studenci linii imama. Miałem
wrażenie, że drzemią. W głębi, między drzewami, stał oświe-
tlony budynek, w którym przebywali zakładnicy. Ale mimo że wpatrywałem się w okna, nikt się w nich nie pojawił,
żadna postać ani żaden cień. Spojrzałem na zegarek. Była
północ, w każdym razie północ w Teheranie, zaczynał się
Nowy Rok, gdzieś na świecie biły zegary i szumiał szam-
pan, panowała radość i uniesienie, w rozjarzonych, koloro-
wych salach trwał wielki bal. Działo się to jakby na innej
planecie, z której nie dochodziły tu nawet nikłe odgłosy, nie
docierał ani promień światła. Stojąc teraz i marznąc zacząłem się nagle zastanawiać, dlaczego ją opuściłem i przy-
szedłem tutaj, w to najbardziej opustoszałe i przygnębiają-
ce miejsce. Nie wiem. Po prostu dziś wieczorem pomyślałem, że w tym miejscu powinienem być. Nikogo tu nie znałem — ani tych pięćdziesięciu Amerykanów, ani tych dwóch
Irańczyków, nawet nie mogłem się z nimi porozumieć. Może myślałem, że coś się tu stanie? Ale nie zdarzyło się nic.

Zbliżała się rocznica wyjazdu szacha i upadku monarchii.
Z tej okazji można było obejrzeć w telewizji dziesiątki filmów o rewolucji. W jakiś sposób były do siebie podobne.

Powtarzały się te same obrazy i sytuacje. Akt pierwszy składał się ze scen przedstawiających ogromny pochód. Trudno opisać rozmiary takiego pochodu. Jest to rzeka ludzi, szeroka, wzburzona, która płynie bez końca, toczy się główną ulicą od świtu przez cały dzień. Potop, gwałtowny potop, który za chwilę pochłonie i zatopi wszystko. Las podniesionych, rytmicznie wygrażających pięści, groźny las. Tłumy śpiewające, tłumy wołające — śmierć szachowi! Mało zbliżeń, mało portretów. Operatorzy są zafascynowani widokiem tej napierającej lawiny, są porażeni rozmiarem zjawiska, które widzą, jakby znaleźli się u stóp Mount Everestu. W ciągu ostatnich miesięcy rewolucji te pochody manifestujące, milionowe, szły ulicami wszystkich miast. Były to tłumy bezbronne, ich siłę stanowiła liczebność i zaciekła, niezachwiana determinacja. Wszyscy wyszli na ulice, to niezwykłe, jednocześnie wyrojenie się całych miast było fenomenem rewolucji irańskiej.

Akt drugi jest najbardziej dramatyczny. Operatorzy stoją z kamerami na dachach domów. Scenę, która dopiero się zacznie, będą filmować z góry, z lotu ptaka. Najpierw pokazują nam, co dzieje się na ulicy. A więc stoją tu dwa czołgi i dwa wozy pancerne. Na jezdni i chodnikach żołnierze w hełmach i panterkach zajęli już pozycję do strzału. Czekają. Teraz operatorzy pokazują, że zbliża się manifestacja. Najpierw ledwie ją widać w dalekiej perspektywie ulicy, ale zaraz zobaczymy ją wyraźnie. Tak, to czoło pochodu. Idą mężczyźni, ale idą też kobiety z dziećmi. Są ubrani na biało. Ubrani na biało — to znaczy gotowi na śmierć. Operatorzy pokazują nam ich twarze, jeszcze żywe. Ich oczy. Dzieci, już zmęczone, ale spokojne, ciekawe, co się będzie działo. Tłum, który idzie prosto na czołgi i nie zwalnia, nie staje, tłum w hipnozie, zaklęty? lunatyczny? jakby niczego nie widział, jakby wędrował przez bezludną ziemię, tłum, który w tym momencie zaczął już wchodzić do nieba. Teraz obraz drży, bo drżą ręce operatorów, a w głośnikach słychać łoskot, strzelaninę, gwizdanie kul i krzyk. Zbliżenie żołnierzy, którzy zmieniają magazynki. Zbliżenie wieżyczki czołgu, która miota się w lewo i w prawo. Zbliżenie oficera, komiczne, któremu hełm spadł na oczy. Zbliżenie jezdni, potem gwałtowny lot kamery po ścianie domu z naprzeciwka, po dachu, po kominie, jasna przestrzeń, jeszcze kraniec chmury, puste klatki i ciemność. Napis na ekranie mówi, że były to ostatnie zdjęcia tego operatora, ale że inni ocaleli i zostawili świadectwo.

Trzeci akt przedstawia sceny z pobojowiska. Leżą zabici, ktoś ranny czołga się w stronę bramy, pędzą karetki pogotowia, biegają jacyś ludzie, kobieta krzyczy, wyciąga ręce, krępy, spocony mężczyzna próbuje dźwignąć czyjeś ciało. Tłum cofnął się, rozproszony, chaotyczny odpływa bocznymi uliczkami. Nisko nad dachami przelatuje helikopter. Kilka ulic dalej zaczął się już normalny ruch, codzienne życie miasta.

Jeszcze pamiętam taką scenę: idzie manifestacja. Kiedy przechodzi koło szpitala, w tłumie zapada cisza. Chodzi o to, żeby chorzy mieli spokój. Albo inny widok: na końcu pochodu idą chłopcy i zbierają do koszyków śmieci. Droga, którą przeszła manifestacja, musi być czysta. Fragment filmu: dzieci wracają ze szkoły. Słyszą strzelaninę. Biegną prosto pod kule, tam gdzie wojsko strzela do manifestantów. Wyrywają z zeszytów kartki i maczają je w rozlanej na chodniku krwi. Trzymając te kartki w powietrzu, biegną ulicami pokazując je przechodniem. To znak ostrzegawczy — uważajcie, tam strzelają! Kilka razy powtarzali film zrobiony w Isfahanie. Przez wielki plac przechodzi manifestacja, widać morze głów. Nagle ze wszystkich stron wojsko otwiera ogień. Tłum rzuca się do ucieczki, tumult, krzyki, bezładna bieganina, w końcu plac pustoszeje. I oto w momencie, kiedy zniknęli ostatni uciekający odsłaniając nagą płaszczyznę ogromnego placu, widzimy, że na samym środku pozostał beznogi inwalida w wózku. Też chce uciekać, ale jedno koło ma nieruchome (na filmie nie widać, dlaczego jest nieruchome). Rozpaczliwie popycha rękami wózek, bo kule świszczą dokoła, tak że odruchowo chowa głowę w ramiona, ale nie może odjechać, kręci się w jednym miejscu. Jest to widok tak szokujący, że żołnierze na moment przestają strzelać, jakby czekali na specjalny rozkaz. Zapada cisza. Widzimy szeroki, pusty plan i tylko w głębi ledwie widoczna, zgarbiona postać, z tej odległości jakby ranny, konający owad, samotny człowiek, który jeszcze walczy uchwycony w zaciskającą się sieć. Nie trwa to długo. Znowu strzelają, mając już przed sobą tylko jeden cel, po chwili ostatecznie nieruchomy, który pozostanie na środku placu przez godzinę czy dwie, jak pomnik.

Operatorzy nadużywają planów ogólnych. W ten sposób gubią szczegóły. A przecież poprzez szczegóły można pokazać wszystko. W kropli jest cały wszechświat. Szczególne jest nam bliższe niż ogólne, łatwiej nawiązujemy z nim kontakt. Brakuje mi zbliżeń ludzi, którzy idą w pochodzie. Brakuje mi rozmów. Ten człowiek, który idzie w pochodzie, ileż jest w nim nadziei! On idzie, bo na coś liczy. On idzie, wierząc, że załatwi jakąś sprawę, nawet kilka spraw. Jest pewien, że poprawi swój los. Idzie myśląc — no, jeśli wygramy, nikt więcej nie będzie mnie traktować jak psa. Myśli o butach. Całej rodzinie kupi dobre buty. Myśli o mieszkaniu. Jeżeli wygramy, zacznę mieszkać po ludzku. Nowy świat: on, zwykły człowiek, będzie znać ministra i wszystko przez niego załatwi. Ale co tam minister! Sami stworzymy komitet i weźmiemy władzę! Ma także myśli i plany, które nie są zbyt jasne, zbyt wyraźne, ale wszystkie są dobre, wszystkie budzą otuchę, bo mają najważniejszą zaletę — będą spełnione. Czuje się podniecony, czuje, jak wzbiera w nim siła, ponieważ idąc tak — uczestniczy, po raz pierwszy trzyma los w swoich rękach, po raz pierwszy bierze udział, na coś wpływa, o czymś decyduje, j e s t.

Kiedyś widziałem, jak tworzy się pochód. Ulicą, która prowadzi do lotniska, szedł człowiek i śpiewał. Była to pieśń o Allachu — Allach Akbar! Miał piękny, donośny głos, o wspaniałej, przejmującej barwie. Szedł nie zwracając uwagi na nic, na nikogo. Poszedłem za nim, chciałem posłuchać tego śpiewu. Za chwilę przyłączyła się gromadka dzieci bawiących się na ulicy. Też zaczęły śpiewać. Potem jakaś grupa mężczyzn, potem — z boku i nieśmiało — kilka kobiet. Kiedy było już około stu idących, tłum zaczął się szybko zwiększać, właściwie w postępie geometrycznym. Tłum przyciąga tłum, jak zauważył Canetti. Oni tutaj lubią być w tłumie, tłum ich wzmacnia, dodaje wartości. Wyrażają się poprzez tłum, szukają tłumu, widocznie w tłumie pozbywają się czegoś, co noszą w sobie, kiedy są sami i z czym nie czują się dobrze.

Na tej samej ulicy (kiedyś nazywała się Szacha Rezy, teraz — Engelob) stary Ormianin prowadzi sprzedaż przypraw korzennych i suszonych owoców. Ponieważ wnętrze sklepu jest ciasne i zagracone, kupiec rozkłada swoje towary na ulicy, na chodniku. Stoją tu worki, kosze i słoje rodzynek, migdałów, daktyli, orzeszków, oliwek, imbiru, granatu, tarniny, pieprzu, prosa i dziesiątka innych specjałów, których nazwy ani przeznaczenia nie znam. Z daleka, na tle szarych, odrapanych tynków, wygląda to jak barwna i suta paleta, jak malarska kompozycja zrobiona z gustem i fantazją. W dodatku raz po raz kupiec zmienia układ kolorów, bo czasem brunatne daktyle stoją obok pastelowych arachidów i zielonych oliwek, innym razem białe, kształtne mig-

dały zajmują miejsce mięsistych daktyli, a tam, gdzie stało
złociste proso, czerwieni się stos pieprzowych strąków.
Chodzę oglądać te pomysły kolorystyczne nie tylko dla
samych wrażeń. Codzienne losy tej wystawy są dla mnie
również źródłem informacji o tym, co będzie działo się
w polityce. Ulica Engelob jest bowiem bulwarem demonstrantów. Jeżeli rano nie ma wystawy, to znaczy, że Ormianin przygotował się na gorący dzień — będzie manifestacja.
Wolał ukryć swoje przyprawy i owoce, żeby nie zdeptał ich
przechodzący tłum. Muszę brać się do pracy — ustalić, kto
będzie manifestować i o co. Jeśli natomiast idąc ulicą Engelob widzę z daleka, jak wszystkimi kolorami jarzy się
paleta Ormianina, wiem, że będzie to dzień zwyczajny, spo-
kojny, bez zdarzeń i że z czystym sumieniem mogę pójść do
Leona na szklaneczkę whisky.

Idąc dalej ulicą Engelob. Jest tu piekarnia, w której można kupić świeży, gorący chleb. Chleb w Iranie ma kształt
dużego, płaskiego placka. Piec, w jakim pieką te placki, jest
trzymetrową studnią wykopaną w ziemi, o ścianach wyłożo-
nych szamotem. Na dnie pali się ogień. Jeżeli kobieta zdra-
dzi męża, wrzucają ją do takiej płonącej studni. W piekarni
pracuje Razak Naderi, ma dwanaście lat. Ktoś powinien
zrobić film o Razaku. Mając dziewięć lat chłopiec przyjechał do Teheranu szukać pracy. W swojej wsi, koło Zanjan
(tysiąc kilometrów od stolicy), zostawił matkę, dwie młod-
sze siostry i trzech młodszych braci. Odtąd miał utrzymy-
wać rodzinę. Wstaje o czwartej rano i klęka przy otworze
pieca. W piecu huczy ogień, bije straszny żar. Długim prę-
tem Razak przylepia placki do szamotowych ścian i pilnuje,
aby wyjąć je w porę. Tak pracuje do dziewiątej wieczór.
Zarobione pieniądze wysyła matce. Jego majątek: torba
podróżna i koc, którym okrywa się w nocy. Razak ciągle
zmienia pracę i często jest bezrobotny. Wie, że nie może o to
nikogo winić. Po prostu po trzech, czterech miesiącach

zaczyna bardzo tęsknić do matki. Jakiś czas mocuje się z tym uczuciem, ale potem wsiada w autobus i jedzie do swojej wsi. Chciałby być z matką jak najdłużej, ale nie może, musi pracować, jest jedynym żywicielem rodziny. Wraca więc do Teheranu, ale tam, gdzie pracował, jest już zatrudniony ktoś inny. Razak idzie więc na plac Gomruka, gdzie zbierają się bezrobotni. Jest to targ tanich rąk, kto tu przychodzi, sprzedaje się za najmniejsze pieniądze. A jednak Razak czeka tydzień albo dwa, zanim ktoś weźmie go do pracy. Cały dzień stoi na placu, marznie, moknie i czuje głód. W końcu zjawi się jakiś człowiek, który zwróci na niego uwagę. Razak jest szczęśliwy — znowu pracuje. Ale radość mija szybko, wkrótce zaczyna bardzo tęsknić, więc znowu jedzie do matki i znowu wróci na ten plac. Obok Razaka istnieje wielki świat — świat szacha, rewolucji, Chomeiniego i zakładników. Wszyscy o nim mówią. A przecież świat Razaka jest większy. Jest on tak wielki, że Razak błądzi po nim i nie umie znaleźć z niego wyjścia.

Ulica Engelob jesienią i zimą roku 1978. Przechodzą tędy wielkie nieustające manifestacje protestacyjne. Podobnie dzieje się we wszystkich wielkich miastach. Bunt ogarnia cały kraj. Rozpoczynają się strajki. Strajkują wszyscy, staje przemysł i transport. Mimo dziesiątków tysięcy ofiar, napór ciągle się wzmaga. Ale szach pozostaje na tronie, pałac nie ustępuje.

Każda rewolucja to zmaganie się dwóch sił: struktury i ruchu. Ruch atakuje strukturę, dąży do jej zniszczenia, struktura broni się, chce unicestwić ruch. Obie te siły, jednakowo potężne, mają różne właściwości. Właściwością ruchu jest jego spontaniczność, żywiołowa, dynamiczna ekspansywność i — krótkotrwałość. Natomiast właściwością struktury jest bezwładność, odporność, zdumiewająca, niemal instynktowna zdolność przetrwania. Strukturę jest stosunkowo łatwo powołać do życia, nieporównanie trudniej — zniszczyć. Może ona znacznie przeżyć wszystkie racje, które uzasadniały jej powstanie. Utworzono wiele słabych, właściwie fikcyjnych państw. Ale państwo jest już strukturą i żadne z nich nie będzie wykreślone z mapy. Istnieje jakby świat struktur, wspierają się one nawzajem. Niech tylko zostanie zagrożona jakaś struktura, natychmiast inne, pokrewne, ruszą jej na pomoc. Cechą struktury jest też sprzyjająca przetrwaniu elastyczność. Napierana, przyciskana, potrafi się ścieśnić, wciągnąć brzuch i czekać, aż przyjdzie moment, kiedy będzie mogła znowu się rozprzestrzenić. Ciekawe, że ponowne rozprzestrzenianie następuje dokładnie w tych kierunkach, z których nastąpił odwrót. Słowem dążeniem każdej struktury jest powrót do status quo, uważanego za najlepszy, idealny. W tym także wyraża się bezwładność struktury. Zdolna jest ona do działań tylko według raz zaprogramowanego kodu. Jeżeli dać jej nowy program — nie drgnie, nie zareaguje. Będzie czekać na program poprzedni. Struktura potrafi się też zachować jak wańka-wstańka. Niby upadnie, a wnet podnosi się znowu. Ruch, który nie zna tych właściwości struktury, długo się z nią boryka, potem słabnie, w końcu ponosi porażkę.

Teatr szacha. Szach był reżyserem, chciał stworzyć teatr na najwyższym, światowym poziomie. Lubił widownię, chciał się podobać. Brakło mu jednak zrozumienia, czym jest sztuka, czym jest mądrość i wyobraźnia reżysera, myślał, że wystarczy mieć tytuł i pieniądze. Miał do dyspozycji ogromną scenę, na której akcja mogła rozgrywać się w wielu miejscach jednocześnie. Na tej scenie postanowił wystawić sztukę pt. „Wielka Cywilizacja". Za bajońskie sumy sprowadził z zagranicy dekoracje. Były to wszelkiego typu urządzenia, maszyny, aparaty, całe góry cementu, kabli i wyrobów plastikowych. Znaczną część dekoracji stanowiły rekwizyty wojenne — czołgi, samoloty, rakiety. Szach chodził po scenie zadowolony i dumny. Słyszał, jak z gęsto rozstawionych głośników płyną słowa uznania i pochwały. Światła reflektorów omiatały dekoracje, potem zatrzymywały się na postaci szacha. Stał lub poruszał się w ich blasku. Był to teatr jednego aktora, w którym aktorem i reżyserem był szach. Resztę stanowili statyści. Na najwyższym piętrze sceny poruszali się generałowie, ministrowie, dystyngowane damy, lokaje — wielki dwór. Potem zaczynały się piętra pośrednie. Na samym dole tłoczyli się statyści najniższej kategorii. Tych było najwięcej. Napływali z biednych wsi do miast zwabieni nadzieją wysokich zarobków, szach obiecywał im złote góry. Szach cały czas przebywał na scenie nadzorując akcję i kierując grą statystów. Na jego gest generałowie prężyli się, ministrowie całowali go w rękę, damy pochylały się w ukłonie. Kiedy schodził na niższe piętra i skinął głową, pędzili do niego urzędnicy, którzy czekali na nagrody i awanse. Rzadko i tylko na chwilę zjawiał się na parterze. Statyści, którzy zaludniali parter, zachowywali się najbardziej apatycznie. Byli zagubieni, zdezorientowani, przytłoczeni wielkim miastem, oszukiwani i wyzyskiwani. Czuli się obco wśród nie znanych im dekoracji, w nieprzychylnym i agresywnym świecie, który ich teraz otaczał. Jedynym punktem orientacyjnym w nowym krajobrazie był meczet, bo meczet był także w ich wiosce. Więc szli do meczetu. Jedyną bliską im postacią w mieście był mułła, jego też znali ze wsi. Na wsi mułła to najwyższy autorytet — rozsądza spory, rozdziela wodę, jest z nami od narodzin do śmierci. Więc tu także garnęli się do mułłów, słuchali ich głosu, który był głosem ich dzieciństwa, ich utraconej ziemi.

Sztuka toczy się na kilku piętrach jednocześnie, wiele rzeczy dzieje się na scenie. Dekoracje zaczynają się poruszać i świecić, kręcą się koła, dymią kominy, czołgi jeżdżą tam i z powrotem, ministrowie całują szacha, urzędnicy pędzą po nagrody, policjanci marszczą brwi, mułłowie gadają i gadają, statyści milczą i pracują. Coraz większy tłok i ruch. Szach chodzi, tu skinie ręką, tam wskaże palcem. Cały czas w blasku reflektorów. Wkrótce jednak na scenie powstaje zamieszanie, jakby wszyscy zapomnieli, co mają grać. Tak, wrzucają scenariusz do kosza i sami wymyślają role. Bunt w teatrze! Spektakl zmienia swoje oblicze, przekształca się w gwałtowne, drapieżne widowisko. Statyści z parteru, od dawna rozczarowani, źle płatni, pogardzani, ruszają do szturmu, zaczynają wdzierać się na wyższe piętra. Ci z pięter pośrednich też buntują się, przyłączają się do ludzi z parteru. Na scenie pojawiają się czarne sztandary szyitów, przez głośniki słychać bojową pieśń demonstrantów — Allach Akbar! Czołgi jeżdżą tam i z powrotem, policjanci strzelają. Z minaretu słychać przeciągłe wołanie muezina. Na najwyższym piętrze niebywałe zamieszanie! Ministrowie pakują worki z pieniędzmi i uciekają, damy łapią kasety z biżuterią i znikają, lokaje biegają bezradni. Pojawiają się ubrani w zielone kurtki fedaini i mudżahedini. Już mają broń — zdobyli arsenały. Żołnierze, którzy dotąd strzelali do tłumu, teraz bratają się z ludem i noszą czerwone goździki wetknięte w lufy karabinów. Scena jest zasypana cukierkami. Z powodu ogólnej radości kupcy rozrzucają w tłumie kosze cukierków. Mimo że jest południe, wszystkie samochody mają zapalone światła. Na cmentarzu wielkie zgromadzenie. Wszyscy przyszli opłakiwać poległych. Przemawia matka, której syn popełnił samobójstwo, gdyż jako żołnierz nie chciał strzelać do braci manifestantów. Przemawia sędziwy ajotallach Teleghani. Stopniowo gasną światła reflektorów. W końcowej scenie z najwyższego piętra, które już całkowicie opustoszało, zjeżdża na parter pawi tron — tron szachów, inkrustowany tysiącami kamieni. Bije z niego kolorowa, oślepiająca łuna. Na tronie przedziwna postać wielkich rozmiarów, wyniosła, majestatyczna. Też promieniuje jaskrawym światłem. Do rąk i nóg, do głowy i tułowia ma podłączone jakieś kable, druty i przewody. Widok tej postaci budzi naszą grozę, boimy się jej, odruchowo chcemy upaść na kolana. Ale na scenie zjawia się grupa monterów, odłączają kable i przecinają drut po drucie. Blask promieniujący z postaci zaczyna gasnąć, ona sama staje się coraz mniejsza i coraz bardziej zwyczajna. W końcu monterzy odstępują na bok, a z tronu wstaje szczupły, starszy pan, ot, taki pan, jakiego możemy spotkać w kinie, w kawiarni lub w kolejce, który teraz otrzepuje garnitur, poprawia krawat i opuszcza scenę, aby udać się na lotnisko.

Szach stworzył system zdolny tylko do tego, aby się bronić, a niezdolny, aby przynosić zadowolenie ludziom. Była to jego największa słabość i prawdziwa przyczyna ostatecznej klęski. Psychologiczną podstawą takiego systemu jest pogarda, jaką żywi władca wobec własnego ludu, przekonanie, że zawsze można swój ciemny naród oszukać, ciągle coś mu obiecując. Ale irańskie przysłowie mówi: obietnice mają wartość tylko dla tych, którzy w nie wierzą.

Chomeini wrócił z emigracji i zanim wyjechał do Qom, na krótko zatrzymał się w Teheranie. Wszyscy pragnęli go zobaczyć, kilka milionów ludzi chciało uścisnąć mu rękę. Budynek szkoły, w którym się zatrzymał, oblegały tłumy. Każdy uważał, że ma prawo spotkać się z ajatollachem. Wszak walczyli o jego powrót, przelewali krew. Panował nastrój euforii, wielkiego uniesienia. Ludzie chodzili, poklepywali się po ramionach tak, jakby jeden drugiemu chciał powiedzieć — widzisz? Wszystko możemy!

Jakże rzadko przeżywa lud takie chwile! Ale teraz to poczucie zwycięstwa wydawało się naturalne i zasadne. Wielka Cywilizacja szacha leżała w gruzach. Czym była ona w swojej istocie? Obcym przeszczepem, który się nie przyjął. Był próbą narzucenia pewnego modelu życia społeczeństwu przywiązanego do zupełnie innych tradycji i wartości. Była przymusem, operacją chirurgiczną, w której bardziej chodziło o to, aby udała się sama operacja, niż aby pacjent pozostał przy życiu, a przede wszystkim — aby pozostał sobą.

Odrzucenie przeszczepu — jakże nieubłagany jest ten proces, jeżeli już się zacznie. Wystarczy, że społeczeństwo nabierze przekonania, że narzucona mu forma egzystencji przynosi więcej zła niż pożytku. Wnet zacznie okazywać swoją niechęć — najpierw skrycie i biernie, potem coraz bardziej otwarcie i bezwzględnie. Nie zazna spokoju, dopóki nie oczyści organizmu z tego siłą wszczepionego ciała. Będzie głuche na perswazje i argumenty. Będzie zapalczywe, niezdolne do refleksji. Przecież u podstaw Wielkiej Cywilizacji leżało wiele szlachetnych intencji, pięknych ideałów. Ale lud widział je tylko w postaci karykatury, a więc w tej formie, jaką w procesie praktyki przybierał świat idei. I dlatego nawet wzniosłe idee zostały poddane w wątpliwość.

A potem? Co stało się potem? O czym mam teraz napisać? O tym, jak kończy się wielkie przeżycie? Smutny temat. Bo bunt jest wielkim przeżyciem, przygodą serca. Spójrzcie na ludzi, kiedy uczestniczą w buncie. Są pobudzeni, przejęci, gotowi do poświęceń. W tym momencie żyją w świecie monotematycznym, ograniczonym tylko do jednej myśli — pragną osiągnąć pożądany cel. Wszystko będzie mu podporządkowane, wszelka niedogodność staje się łatwa do zniesienia, żadna ofiara nie jest zbyt wielka. Bunt uwalnia nas od własnego ja, od codziennego ja, które wydaje nam się teraz małe, niejakie i nam samym — obce. Zdumieni, odkrywamy w sobie nieznane zasoby energii, jesteśmy zdolni do zachowań tak szlachetnych, że nas samych wprawia to w podziw. A ileż przy tym dumy, że potrafiliśmy się wznieść tak wysoko! Ileż satysfakcji, że tak wiele daliśmy z siebie! Ale przychodzi chwila, kiedy nastrój gaśnie i wszystko się kończy. Jeszcze odruchowo, z nawyku, powtarzamy gesty i słowa, jeszcze chcemy, żeby było tak jak wczoraj, ale już wiemy — i to odkrycie napełnia nas przerażeniem — że to wczoraj więcej się nie powtórzy. Rozglądamy się wokoło i dokonujemy nowego odkrycia — ci, którzy byli z nami, też stali się inni, też coś w nich zgasło, coś się wypaliło. Nagle nasza wspólnota rozpada się, każdy wraca do codziennego ja, które z początku krępuje jak źle skrojone ubranie, ale wiemy, że jest to nasze ubranie i że innego nie będziemy mieć. Z niechęcią patrzymy sobie w oczy, unikamy rozmów, przestaliśmy być sobie potrzebni.

Ten spadek temperatury, ta zmiana klimatu, należy do najbardziej przykrych i przygnębiających doświadczeń. Zaczyna się dzień, w którym coś powinno się stać. I nie dzieje się nic. Nikt nas nie wzywa, nikt nie oczekuje, jesteśmy zbędni. Zaczynamy odczuwać wielkie zmęczenie, stopniowo ogarnia nas apatia. Mówimy sobie — muszę odpocząć, muszę się pozbierać, nabrać sił. Koniecznie chcemy zaczerpnąć świeżego powietrza. Koniecznie chcemy zrobić coś bardzo codziennego — posprzątać mieszkanie, naprawić okno. Są to wszystko działania obronne, aby uniknąć depresji, która nadciąga. Więc zbieramy siły i naprawiamy okno. Ale nie jest nam dobrze, nie jesteśmy radośni, ponieważ czujemy, jak uwiera nas żużel, który nosimy w sobie.
Mnie też udzielał się ten nastrój, który ogarnia nas, kiedy siedzimy przy gasnącym ognisku. Chodziłem po Teheranie, z którego znikały ślady wczorajszych przeżyć. Znikały nagle, można było odnieść wrażenie, że nic się tu nie działo. Kilka spalonych kin, kilka zniszczonych banków — symboli obcych wpływów. Rewolucja przywiązuje wielką wagę do symboli, burzy jedne pomniki i na ich miejsce stawia własne, ponieważ chce się utrwalić, chce w ten metaforycz-

ny sposób — przetrwać. A co stało się z ludźmi? Byli to znowu zwyczajni przechodnie, wpisani w nudny pejzaż szarego miasta. Gdzieś szli albo stali przy ulicznych piecykach grzejąc ręce. Byli znowu — każdy osobno, każdy dla siebie, zamknięci i małomówni. Może jeszcze czekali, że coś się stanie, że jednak stanie się jakaś nadzwyczajna rzecz? Nie wiem, nie umiem powiedzieć.

To wszystko, co stanowi zewnętrzną, widoczną część rewolucji, znika szybko. Człowiek, pojedynczy człowiek, ma tysiąc sposobów, którymi może wyrazić swoje uczucia i myśli. Jest nieskończonym bogactwem, jest światem, w którym ciągle coś odkrywamy. Natomiast tłum redukuje osobowość jednostki, człowiek w tłumie ogranicza się do kilku elementarnych zachowań. Formy, poprzez które tłum wyraża swoje dążenia, są niezwykle ubogie i stale się powtarzają — manifestacja, strajk, wiec, barykada. Dlatego o człowieku można napisać powieść, o tłumie — nigdy. Jeżeli tłum się rozproszy, rozejdzie do domów i więcej nie zbierze, mówimy, że skończyła się rewolucja.

Odwiedzałem teraz siedziby komitetów. Komitety — tak nazywały się organa nowej władzy. W ciasnych i zaśmieconych pomieszczeniach siedzieli za stołami zarośnięci ludzie. Ich twarze widziałem po raz pierwszy. Przychodząc tu, miałem zanotowane w pamięci nazwiska osób, które w okresie szacha działały w opozycji lub trzymały się na uboczu. Oni właśnie, rozumowałem logicznie, powinni teraz rządzić. Pytałem, gdzie mógłbym ich spotkać. Ludzie z komitetów nie wiedzieli. W każdym razie tutaj ich nie było. Cały długotrwały układ, w którym jeden był u władzy, drugi — w opozycji, trzeci — dorabiał się, a czwarty — krytykował, całą tę złożoną i latami istniejącą konstrukcję rewolucja zmiotła z powierzchni jak domek z kart. Dla tych zarośniętych dryblasów, ledwie umiejących czytać i pisać, wszyscy ci ludzie, o których pytałem, nie mieli żadnego znaczenia. Cóż mogło ich obchodzić, że kilka lat temu Hafez Farman skrytykował szacha, za co stracił posadę, a Kulsum Kitab zachowywał się jak łajdak i robił karierę? To była przeszłość, tamten świat już nie istniał. Rewolucja wyniosła do władzy zupełnie nowych ludzi, jeszcze wczoraj anonimowych, nikomu nie znanych. Całymi dniami brodacze z komitetu siedzieli i radzili. Nad czym? Radzili nad tym — co robić. Tak, ponieważ komitet powinien coś robić. Po kolei zabierali głos. Każdy chciał się wypowiedzieć, chciał wystąpić. Czuło się, że jest to dla nich istotne, że przywiązują do tego dużą wagę. Każdy mógł potem mówić sąsiadom — miałem wystąpienie. Ludzie mogli pytać jeden drugiego — słyszałeś o jego wystąpieniu? Kiedy przechodził ulicą, mogli zatrzymać go, żeby powiedzieć z uznaniem — miałeś ciekawe wystąpienie! Stopniowo zaczęła wytwarzać się nieformalna hierarchia — szczyt zajmowali ci, którzy mieli zawsze dobre wystąpienia, na dole zaś gromadzili się introwertycy, ludzie z wadami wymowy, całe zastępy tych, co nie umieli przełamać tremy, a wreszcie tacy, którzy uważali, że nie kończące się gadanie jest pozbawione sensu. Nazajutrz radzili od nowa, jakby wczoraj nic się tu nie działo, jakby wszystko musieli zaczynać od początku.

Iran — była to dwudziesta siódma rewolucja, jaką widziałem w Trzecim Świecie. W dymie i w huku zmieniali się władcy, upadały rządy, na fotelach zasiadali nowi ludzie. Ale jedno było niezmienne, niezniszczalne, boję się powiedzieć — wieczne: bezradność. Jakże mi te siedziby komitetów irańskich przypominały to, co widziałem w Boliwii i w Mozambiku, w Sudanie i w Beninie. Co robić? A ty wiesz, co robić? Ja? Nie wiem. A może ty wiesz? Ja? Poszedłbym na całość. Ale jak? Jak pójść na całość? Tak, jest to problem. Wszyscy zgodzą się, że jest to problem, nad którym warto dyskutować. Duszne, zadymione sale. Wystąpienia lepsze i gorsze, kilka naprawdę świetnych. Po dobrym wystąpieniu wszyscy odczuwają zadowolenie — przecież uczestniczyli w czymś, co było rzeczywiście udane.

Zaczęło mnie to tak intrygować, że usiadłem w siedzibie jednego z komitetów (pod pozorem czekania na kogoś, kto był nieobecny) i obserwowałem, jak wygląda załatwienie jakiejś najprostszej sprawy. W końcu życie polega na załatwianiu spraw, a postęp na tym, aby załatwiać je sprawnie i ku ogólnemu zadowoleniu. Po chwili weszła kobieta, żeby prosić o zaświadczenie. Ten, który miał ją przyjąć, akurat brał udział w dyskusji. Kobieta czekała. Ludzie mają tu fantastyczną zdolność czekania, potrafią zamienić się w kamień i trwać nieruchomo bez końca. Wreszcie ów człowiek przyszedł i zaczęła się rozmowa. Kobieta mówiła, on pytał, kobieta pytała, on mówił. Targ targiem, doszli do porozumienia. Zaczęło się szukanie kawałka papieru. Na stole leżały różne kartki, ale żadna nie wydawała się odpowiednia. Człowiek zniknął — pewnie poszedł szukać papieru, choć równie dobrze mógł wyjść do baru naprzeciwko, żeby napić się herbaty (było gorąco). Kobieta czekała w milczeniu. Człowiek wrócił, ocierał z zadowoleniem usta (pewnie pił herbatę), ale przyniósł również papier. Teraz zaczęła się część najbardziej dramatyczna — szukanie ołówka. Nigdzie nie było ołówka — ani na stole, ani w żadnej szufladzie, ani na podłodze. Pożyczyłem mu pióro. Uśmiechnął się, kobieta odetchnęła z ulgą. Teraz siadł do pisania. Kiedy zaczął pisać, uświadomił sobie, że nie bardzo wie, co ma zaświadczyć. Zaczęli rozmawiać, człowiek kiwał głową. Wreszcie dokument był gotów. Teraz musiał go podpisać ktoś wyższy. Ale wyższego nie było. Wyższy dyskutował w innym komitecie, nie dało się z nim porozumieć, bo telefon nie odpowiadał. Czekać. Kobieta znowu zamieniła się w kamień, człowiek zniknął, a ja poszedłem na herbatę.

Potem ten człowiek nauczy się pisać zaświadczenia i będzie umieć wiele innych rzeczy. Ale po kilku latach nastąpi przewrót, człowiek, którego już znamy — odejdzie, na jego miejsce przyjdzie inny, zacznie szukać papieru i ołówka. Ta sama albo inna kobieta będzie czekać zamieniona w kamień. Ktoś pożyczy swojego pióra. Wyższy będzie zajęty dyskusją. Wszyscy oni, tak jak ich poprzednicy, zaczną znowu poruszać się w zaklętym kręgu bezradności. Kto stworzył ten krąg? W Iranie stworzył go szach. Szach myślał, że kluczem do nowoczesności jest miasto i przemysł, ale było to myślenie błędne. Kluczem do nowoczesności jest wieś. Szach upajał się wizją elektrowni atomowych, sterowanych komputerami taśm produkcyjnych i wielkiej petrochemii. Ale w kraju zapóźnionym są to tylko atrapy nowoczesności. W takim kraju większość ludzi żyje na biednej wsi, z której ucieka do miasta. Tworzą oni młodą, energiczną siłę, która mało umie (są to często ludzie bez kwalifikacji, analfabeci), ale ma duże ambicje i jest gotowa walczyć o wszystko. W mieście znajdują zasiedziały układ, tak czy inaczej związany z istniejącą władzą. Więc najpierw rozejrzą się, trochę zadomowią, zajmą wyjściowe pozycje i — ruszają do szturmu. Do walki wykorzystują tę ideologię, którą wynieśli ze swojej wsi — zwykle jest nią religia. Ponieważ stanowią siłę, której naprawdę zależy na awansie, często zwyciężają. Wtenczas władza przechodzi w ich ręce. Ale co z nią zrobić? Zaczynają dyskusje, wchodzą w zaklęty krąg bezradności. Naród jakoś żyje, bo musi żyć, oni natomiast żyją coraz lepiej. Pewien czas żyją spokojnie. Ich następcy jeszcze biegają po stepie, pasą wielbłądy i pilnują baranich stad. Ale potem dorosną, pójdą do miasta i zaczną walkę. Co w tym jest najistotniejsze? To, że ci nowi wnoszą więcej ambicji niż umiejętności. W rezultacie za każdym przewrotem kraj niejako wraca do punktu wyjściowego, zaczyna od zera, ponieważ generacja zwycięzców musi od początku uczyć się wszystkiego, co z mozołem opanowała generacja pobita. Czy oznacza to, że ci pokonani byli sprawni i mądrzy? Wcale nie. Geneza poprzedniej generacji była identyczna jak tej, która przyszła na jej miejsce. Jakie jest wyjście z kręgu bezradności? Tylko poprzez rozwój wsi. Tak długo jak zacofana jest wieś, tak długo zacofany jest kraj, choćby istniało w nim pięć tysięcy fabryk. Tak długo jak syn osiedlony w mieście będzie odwiedzać rodzinną wioskę jak egzotyczną krainę, tak długo naród, do którego należy, nie będzie nowoczesnym.

W dyskusjach, jakie toczyły się w komitetach na temat — co robić dalej, wszyscy byli zgodni w jednym: przede wszystkim wziąć odwet. Zaczęły się więc egzekucje. Znajdują jakieś upodobania w tym zajęciu. Na pierwszych stronach gazet zamieszczają zdjęcia ludzi o związanych oczach i chłopców, którzy do nich celują. Długo i szczegółowo opisują całe zdarzenia. Co skazaniec powiedział przed śmiercią, jak się zachowywał, co napisał w ostatnim liście. W Europie egzekucje te wywoływały wielkie oburzenie. Jednakże tutaj niewielu rozumiało te pretensje. Dla nich zasada odwetu była stara jak świat. Sięgała niepamiętnych czasów. Szach rządził, potem obcinali mu głowę, przychodził następny, obcinali mu głowę. Jakże inaczej pozbyć się szacha? Sam przecież nie ustąpi. Zostawić szacha albo jego ludzi przy życiu? Wnet zaczną organizować armię i odzyskają władzę. Osadzić ich w więzieniu? Przekupią straże i wyjdą na wolność, zaczną masakrować tych, którzy ich pokonali. W tej sytuacji zabicie jest jakby elementarnym odruchem samozachowawczym. Jesteśmy w świecie, w którym prawo jest rozumiane nie jako instrument ochrony człowieka, ale jako narzędzie zniszczenia przeciwnika. Tak, brzmi to okrutnie, jest w tym jakaś upiorna, nieubłagana bezwzględność. Ajatollach Khalkhali opowiadał nam, grupie dziennikarzy, jak po skazaniu na śmierć byłego premiera Howeydy nabrał nagle podejrzenia do ludzi z plutonu egzekucyjnego, którzy mieli wykonać wyrok. Obawiał się,

158

że mogą go wypuścić. Wziął więc Howeydę do swojego samochodu. Było to nocą, siedzieli w wozie, Khalkhali twierdzi, że rozmawiali. Nie powiedział nam, o czym. Czy nie bał się, że mu ucieknie? Nie, nic takiego nie przyszło mu na myśl. Czas płynął, Khalkhali zastanawiał się, w czyje zaufane ręce mógłby oddać Howeydę. Zaufane ręce to znaczy takie, które na pewno wykonałyby wyrok. W końcu przypomnieli mu się ludzie z pewnego komitetu, w pobliżu bazaru. Zawiózł do nich Howeydę i tam go zostawił.

Próbuję ich zrozumieć; ale coraz to natrafiam na ciemny obszar, po którym zaczynam błądzić. Mają inny stosunek do życia i do śmierci. Inaczej reagują na widok krwi. Widok krwi wywołuje w nich napięcie, fascynację, wpadają w jakiś mistyczny trans, widzę ich ożywione gesty, słyszę, jak wydają okrzyki. Przed mój hotel zajechał nowym wozem właściciel sąsiedniej restauracji. Był to przyprowadzony prosto z salonu samochodowego piękny, złocisty „Pontiac". Zrobił się ruch, na podwórzu darły się zarzynane kury. Ich krwią ludzie najpierw spryskiwali siebie, a potem mazali nią karoserię samochodu. Po chwili wóz był czerwony, ociekał krwią. Był to chrzest „Pontiaca". Tam, gdzie jest krew, cisną się, aby umaczać w niej rękę. Nie umieli mi wytłumaczyć, do czego jest to potrzebne.

Przez kilka godzin w tygodniu zdobywają się na fantastyczną dyscyplinę. Dzieje się to w piątek, w czasie wspólnej modlitwy. Rano na wielki plac przychodzi pierwszy, najbardziej gorliwy muzułmanin, rozkłada dywanik i klęka na jego skraju. Po nim przychodzi następny i rozkłada swój dywanik obok tego pierwszego (choć cały plac jest wolny). Potem zjawia się następny wierny i następny. Potem tysiąc innych, potem milion. Rozkładają dywaniki i klękają. Klęczą w równych, karnych szeregach, w milczeniu, zwróceni twarzami w stronę Mekki. Około południa przewodnik piątkowej modlitwy rozpoczyna obrządek. Wszyscy wstają, pochylają się w siedmiokrotnym pokłonie, prostują, skłon ciała do bioder, opadnięcie na kolana, padnięcie na twarz, pozycja siedząca na udach, znowu padnięcie na twarz. Doskonały, niczym nie zmącony rytm miliona ciał jest widokiem trudnym do opisania i dla mnie — nieco groźnym. Na szczęście, kiedy modlitwa kończy się, szeregi natychmiast zaczynają się rozpadać, robi się gwarno i powstaje przyjemny, swobodny, odprężający bałagan.

Wkrótce w obozie rewolucji zaczęły się spory. Wszyscy byli przeciwni szachowi i chcieli go usunąć, ale przyszłość każdy wyobrażał sobie inaczej. Część ludzi wierzyła, że w kraju zapanuje taka demokracja, jaką znali z pobytu we Francji i Szwajcarii. Ale ci właśnie w walce, jaka rozpoczęła się po wyjeździe szacha, przegrali najpierwsi. Byli to ludzie inteligentni, mądrzy, ale słabi. Od razu znaleźli się w sytuacji paradoksalnej — demokracji nie można narzucić siłą, za demokracją musi opowiedzieć się większość, tymczasem większość chciała tego, czego żądał Chomeini — republiki islamskiej. Po odejściu liberałów zostali ci, którzy byli za republiką. Ale i między nimi wkrótce doszło do walki. W tej walce twarda, konserwatywna linia stopniowo brała górę nad linią światłą i otwartą. Znałem ludzi z jednego i drugiego obozu i ilekroć myślałem o tych, po których stronie była moja sympatia, ogarniał mnie pesymizm. Przywódcą światłych był Bani Sadr. Szczupły, lekko przygarbiony, zawsze w koszulce polo, chodził, perswadował, ciągle wdawał się w dyskusje. Miał tysiąc pomysłów, dużo, za dużo mówił, snuł nie kończące się rozważania, pisał książki trudnym, niejasnym językiem. W tych krajach inteligent w polityce to zawsze ktoś nie na miejscu. Inteligent ma nadmiar wyobraźni, przeżywa rozterki, miota się od ściany do ściany. Jaki pożytek z przywódcy, który sam nie wie, czego się trzymać?

Beheszti (linia twarda) nigdy nie postępował w ten sposób. Zbierał swój sztab i dyktował instrukcje. Wszyscy byli mu wdzięczni, bo wiedzieli, jak postępować, co robić. Beheszti miał w ręku aparat szyicki, Bani Sadr — przyjaciół i zwolenników. Bazą Bani Sadra była inteligencja, studenci, mudżahedini. Bazą Besztego — gotowy na wezwanie mułłów tłum. Było jasne, że Bani Sadr musi przegrać. Ale i Besztego dosięgła ręka Miłościwego i Litościwego.

Na ulicach pojawiły się bojówki. Były to grupy młodych, silnych ludzi, z tylnych kieszeni wystawały im noże. Atakowali studentów, karetki pogotowia wywoziły z uniwersytetu poranione dziewczyny. Zaczęły się manifestacje, tłum wygrażał pięściami. Ale tym razem — przeciw komu? Przeciw człowiekowi, który pisał książki trudnym, niejasnym językiem. Miliony ludzi nie miało pracy, chłopi nadal mieszkali w nędznych lepiankach, ale czy to było ważne? Ludzie Besztego byli zajęci czymś innym — walczyli z kontrrewolucją. Tak, wreszcie wiedzieli, co robić, co mówić. Nie masz co jeść? Nie masz gdzie mieszkać? Wskażemy ci sprawcę twojej niedoli. Jest nim kontrrewolucjonista. Zniszcz go, a zaczniesz żyć po ludzku. Ale jakiż on kontrrewolucjonista, przecież wczoraj walczyliśmy razem przeciw szachowi! To było wczoraj, a dzisiaj on twoim wrogiem. Wysłuchawszy tego, rozgorączkowany tłum rusza do natarcia, niewiele myśląc o tym, czy to wróg prawdziwy, ale tłumu nie można o nic winić, ponieważ ci ludzie rzeczywiście chcą lepiej żyć i pragnąc tego od dawna, nie wiedzą, nie rozumieją, co jest takiego na świecie, że mimo ciągłych zrywów, ofiar i wyrzeczeń lepsze życie jest nadal za górami.

Wśród moich przyjaciół panowało przygnębienie. Mówili, że nadciąga katakklizm. Jak zawsze, kiedy zbliżały się ciężkie czasy, oni, inteligentni, tracili siły i wiarę. Poruszali

161

się w gęstym mroku, nie wiedzieli, w którą skierować się stronę. Byli pełni lęku i frustracji. Oni, którzy kiedyś nie opuścili żadnej manifestacji, teraz zaczęli bać się tłumu. Rozmawiając z nimi, myślałem o szachu. Szach jeździł po świecie, czasem w gazetach pojawiła się jego twarz, coraz bardziej wychudła. Do końca myślał, że wróci do kraju. Nie wrócił, ale wiele z tego, co zrobił — pozostało. Despota odchodzi, ale wraz z jego odejściem żadna dyktatura nie kończy się całkowicie. Warunkiem istnienia dyktatury jest ciemnota tłumu, dlatego dyktatorzy bardzo o nią dbają, zawsze ją kultywują. I trzeba całych pokoleń, aby to zmienić, aby wnieść światło. Nim to nastąpi, często ci, co obalili dyktarora, mimowolnie i wbrew sobie działają jako jego spadkobiercy, kontynuując swoją postawą i sposobem myślenia epokę, którą sami zniszczyli. Jest to tak mimowolne i podświadome, że jeśli im to wytknąć, zapałają najświętszym oburzeniem. Ale czy można o wszystko winić szacha? Szach zastał pewną tradycję, poruszał się w granicach zespołu obyczajów, istniejących od setek lat. Bardzo trudno przekroczyć takie granice, bardzo trudno zmienić przeszłość.

Kiedy chcę poprawić sobie nastrój i spędzić przyjemnie czas, idę na ulicę Ferdousi, przy której pan Ferdousi prowadzi sprzedaż perskich dywanów. Pan Ferdousi, który całe życie spędził obcując ze sztuką i pięknem, patrzy na otaczającą go rzeczywistość jak na drugorzędny film w tanim i zaśmieconym kinie. Wszystko jest kwestią smaku, mówi mi, najważniejsza rzecz, proszę pana — trzeba mieć smak. Świat wyglądałby inaczej, gdyby trochę więcej ludzi miało odrobinę więcej smaku. Wszystkie okropności (bo nazywa to okropnościami), takie jak kłamstwo, zdrada, złodziejstwo, donosicielstwo, sprowadza do wspólnego mianownika — takie rzeczy robią ludzie, którzy nie mają smaku. Wierzy w to, że naród przetrwa wszystko i że piękno jest niezniszczalne. Musi pan pamiętać, mówi mi rozwijając kolejny dywan (którego wie, że nie kupię, ale chciałby, abym nacieszył nim oko), że to, co Persom pozwoliło pozostać Persami przez dwa i pół tysiąca lat, to, co pozwoliło nam pozostać sobą, mimo tylu wojen, inwazji i okupacji, to była nasza siła duchowa, a nie materialna, nasza poezja, a nie technika, nasza religia, a nie fabryki. Co myśmy dali światu? Myśmy dali poezję, miniaturę i dywan. Jak pan widzi, z wytwórczego punktu widzenia same bezużyteczne rzeczy. Ale właśnie w tym wyraziliśmy siebie. Myśmy dali światu tę cudowną, niepowtarzalną bezużyteczność. To, co daliśmy światu, nie polegało na ułatwianiu życia, tylko na jego ozdabianiu, oczywiście, o ile takie rozróżnienie ma sens. Bo na przykład dywan jest dla nas potrzebą życia. Pan rozkłada dywan na strasznej, spalonej pustyni, kładzie się na nim i czuje, że leży na zielonej łące. Tak, nasze dywany przypominają kwitnące łąki. Pan widzi kwiaty, widzi ogród, sadzawkę i fontannę. Między krzewami przechadzają się pawie. A dywan to trwała rzecz, dobry dywan zachowa kolor na wieki. I w ten sposób, żyjąc w nagiej i monotonnej pustyni, pan żyje jak w ogrodzie, który jest wieczny, który nie traci barwy ni świeżości. A jeszcze można sobie wyobrazić, że ten ogród pachnie, można usłyszeć szum strumienia i śpiew ptaków. I wtedy pan czuje się dobrze, pan czuje się wyróżniony, pan jest blisko nieba, pan jest poetą.

Spis treści

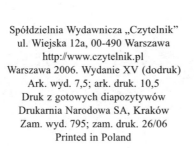

Spółdzielnia Wydawnicza „Czytelnik"
ul. Wiejska 12a, 00-490 Warszawa
http://www.czytelnik.pl
Warszawa 2006. Wydanie XV (dodruk)
Ark. wyd. 7,5; ark. druk. 10,5
Druk z gotowych diapozytywów
Drukarnia Narodowa SA, Kraków
Zam. wyd. 795; zam. druk. 26/06
Printed in Poland